92 TEMAS

para hogares-iglesias

José Espósito

Pacific Press® Publishing Association
Nampa, Idaho
Oshawa, Ontario, Canadá
www.pacificpress.com

Dedicatoria

A mis queridos padres, el pastor Antonio y Elba Espósito,
por haberme enseñado desde niño a servir a Jesús. Y a mi amada esposa Carmen,
fiel crítica y correctora de mis manuscritos,
por compartir conmigo el romance del ministerio.

Redacción: Miguel Valdivia
Portada: Dennis Ferree
Diseño del interior: Steve Lanto

A no ser que se indique de otra manera, todas la citas de las Sagradas
Escrituras están tomadas de la versión Reina-Valera 1960.

Primera edición, 2003

Editado e impreso por
PUBLICACIONES INTERAMERICANAS
Pacific Press® Publishing Association
P. O. Box 5353, Nampa, Idaho 83653,
EE. UU. de N. A.

ISBN 13: 978-0-8163-9405-0
ISBN 10: 0-8163-9405-9
Printed in the United States of America

PUBLICACIONES
ADVENTISTAS DEL 7° DIA

09 10 11 12 · 7 6 5 4 3

Índice

Introducción

El presente libro contiene 92 temas para ser presentados durante la reunion del hogar-iglesia.

La reunión del hogar-iglesia se divide en cuatro partes:

1. **CANTOS Y ORACIONES DE GRATITUD:** Es el momento para entonar cantos espirituales que motiven a la alabanza y adoración al Señor Jesús, al Espíritu Santo y a Dios el Padre.

2. **CONFRATERNIZACIÓN:** Consta de tres o cuatro preguntas que tienen el propósito de abrir el diálogo y permitir que cada uno de los miembros se exprese. Es probable que algunas preguntas le parezcan un poco ingenuas o sin sentido. Esta preguntas tienen el objetivo de crear un ambiente cálido donde todos puedan "desahogarse" y expresarse con libertad. No objete las respuestas ni las discuta. No intente hacer el papel de psicólogo. Sencillamente escuche y coordine para que el grupo se exprese con total libertad. La última pregunta de la sección de confraternización, abre la posibilidad para la organización de algún tipo de actividad misionera que entre todos proyecten.

3. **ESTUDIO BÍBLICO:** Son temas sociales que llevan a la reflexión. No son temas netamente doctrinales, aunque a lo largo de los 92 estudios están comprendidas casi todas las doctrinas. Encontrará que en algunos casos hay demasiados textos, seleccione los que usted crea más apropiados. No dedique mucho tiempo a la lectura, eso cansa y distrae, no predique un sermón, en las reuniones de los hogares-iglesia todos participan y opinan.

4. **ORACIONES EN GRUPOS:** No descuide este momento. Promueva la oración fervorosa y disfrute de los resultados.

Que el Señor lo prospere con su Espíritu y lo llene de su divino poder para que su obra sea fructífera.

José Espósito
Silver Spring, Maryland
Mayo, 2003

EL RECHAZO

I. ALABANZA: CÁNTICOS ESPIRITUALES (diez minutos)

II. CONFRATERNIZACIÓN (diez minutos)

    A. Anotar nombre y dirección de cada miembro del grupo pequeño.

    B. Ocupación de cada integrante y cómo está constituida su familia.

    C. Relatar una experiencia positiva de la semana.

    D. ¿Qué espera de esta reunión?

III. MOMENTOS DE ORACIÓN (diez minutos)

    A. Gratitud

    B. Intercesión

    C. Petición

IV. ESTUDIO BÍBLICO (30 minutos, leer los textos y responder a las preguntas)

    A. S. Juan 1:3-9. ¿Quedó usted alguna vez en completa oscuridad y solo?, ¿cuáles fueron sus sentimientos? Pánico, preocupación, rabia, ansiedad, paz, miedo, angustia, etc.

    B. Antes de que Cristo viniera, el mundo se encontraba en completa oscuridad. Dios envió hombres que predicaran acerca de la Luz que vendría. Jesús era la luz. ¿Cuál fue la respuesta? (S. Juan 3:19; 1:10, 11).

    C. Estos versículos hablan de rechazo. ¿Se sintió usted en algún momento rechazado/a por su esposo/a, amigos, familiares, hermanos, etc.? Si lo desea, relate su experiencia. ¿Pudo superarlo?

    D. ¿Por qué piensa usted que ciertas personas entran en aceptación más rápidamente que otras?

    E. Génesis 37:12-20. Trate de identificarse con José cuando se acercó al campamento de sus hermanos. ¿Qué hubiera hecho usted en su lugar cuando los que lo debían amar lo rechazaban?

CONCLUSIÓN

¿Puede imaginar el dolor de nuestro Padre cuando rechazamos al Espíritu Santo o a Jesús? (Jeremías 2:13; S. Juan 10:7-16, 27, 28).

V. CIERRE:

    A. Toma de decisiones

    B. Invitación para la próxima semana

    C. Oración de despedida

LA SOLEDAD

I. ALABANZA: CÁNTICOS ESPIRITUALES (diez minutos)

V. CONFRATERNIZACIÓN (diez minutos)

A. Mencione algo que le hayan dicho durante la semana que lo hizo sentirse bien.

B. ¿Qué es lo que más le gusta de usted mismo?

C. ¿Qué desearía cambiar de su personalidad

D. ¿Qué es lo que más le agrada de su iglesia?

III. MOMENTOS DE ORACIÓN (diez minutos)

A. Gratitud

B. Intercesión

C. Petición

IV. ESTUDIO BÍBLICO (30 minutos, leer los textos y responder a las preguntas)

A. 2 Timoteo1:15 y 4:9-18. ¿Se sintió solo alguna vez? ¿Qué experimentó?: Angustia, desesperación, resentimiento, temor, etc.

B. La soledad es uno de los problemas más comunes de los hombres y mujeres. ¿Sabe Jesús lo que es sentirse solo? (S. Juan 16:32; S. Mateo 14:23, 26:56; 27:46).

C. Jesús no sólo experimentó el desamparo de las multitudes que él había alimentado y sanado sino además el abandono de sus más íntimos amigos. Por causa de nuestros pecados también sintió la separación de su Padre.

D. ¿Sintió usted que las personas en quienes más confiaba lo abandonaron en el momento de mayor necesidad?: Amigos, esposo/a, hermanos, vecinos. Relate su experiencia. ¿Queda en usted algún pequeño resentimiento? ¿Pudo superarlo? ¿Cómo?

E. ¿Por qué aunque estemos rodeados de gente muchas veces nos sentimos solos? ¿No será que nosotros mismos en algunas ocasiones levantamos muros de separación?

F. ¿Se sintió alguna vez abandonado por Dios? (Isaías 54:5-8).

CONCLUSIÓN

Dios promete nunca dejarnos solos, ¡Qué maravillosa promesa! (Salmo 27). Subraye los versículos más significativos para usted.

V. CIERRE:

A. Toma de decisiones

B. Invitación para la próxima semana

C. Oración de despedida

EL GOZO

I. ALABANZA: CÁNTICOS ESPIRITUALES (diez minutos)

II. CONFRATERNIZACIÓN (diez minutos)

A. Excluyendo a Jesús, ¿a quién le gustaría decirle "gracias" y por qué?

B. ¿Qué le produjo más alegría esta semana?

C. ¿Cuál ha sido el momento más feliz de su vida?

A. ¿Cuándo fue la última vez que lloró y por qué?

III. MOMENTOS DE ORACIÓN (diez minutos)

A. Gratitud

B. Intercesión

C. Petición

IV. ESTUDIO BÍBLICO (30 minutos, leer los textos y responder a las preguntas)

A. 1 Tesalonicenses 5:16; Filipenses 4:4. ¿Se sintió alguna vez rodeado de gente triste en su hogar, trabajo, iglesia, etc.?

B. Sintió deseos de huir, cantar, llorar, reír, aceptar ese ambiente?

C. ¿Cree usted que es posible estar siempre gozoso?

D. Dios pide que le sirvamos con alegría. Israel no lo hizo y sufrió las consecuencias

    (Deuteronomio 28:47, 48). ¿Hará Dios lo mismo con nosotros?

A. ¿Está usted enfermo? Lea Proverbios 17:22.

B. En el ministerio de Jesús se dejó ver siempre una actitud de gozo y alegría (S. Lucas 10:21). ¿A usted le produce felicidad ser cristiano?

C. Uno de los frutos del Espíritu es el gozo (Gálatas 5:22). ¿Puede una persona o iglesia tener el Espíritu y sin embargo estar triste?

D. Romanos 14:17; Hechos 13:52 ¿Ha experimentado el gozo en el Espíritu? Cuente su experiencia.

CONCLUSIÓN

Salmo 100:1, 2; 2 Corintios 13:11. ¿No cree usted que deberíamos cultivar más una actitud de gozo en el hogar y en la iglesia?

V. CIERRE:

A. Toma de decisiones

B. Invitación para la próxima semana

C. Oración de despedida

EL CIELO

I. ALABANZA: CÁNTICOS ESPIRITUALES (diez minutos)

II. CONFRATERNIZACIÓN (diez minutos)

A. ¿A quién admiró más de niño/a y por qué?

B. ¿Cuál fue el momento más triste de su vida? ¿Pudo superarlo? ¿Cómo?

C. ¿A quién abrazó usted durante esta semana y por qué?

D. ¿Qué día de la semana es su favorito? ¿Por qué?

III. MOMENTOS DE ORACIÓN (diez minutos)

A. Gratitud

B. Intercesión

C. Petición

IV. ESTUDIO BÍBLICO (30 minutos, leer los textos y responder a las preguntas)

A. Isaías 65:17-25 ¿Alguna vez se detuvo usted a pensar en el cielo? (Al hablar del cielo nos referimos a la morada de Dios y de los salvos). ¿Cuáles fueron sus sentimientos? Miedo, paz, confusión, dudas, alegría, esperanza.

B. ¿Cómo imagina usted el cielo? Coméntelo.

C. Mientras estuvo aquí en la tierra Jesús nos habló algo del cielo. ¿No le parece atractivo ser propietario en el cielo? (S. Juan 14:1-3).

D. ¿Verdad que con esta esperanza muchas de las cosas por las cuales nos preocupamos y enfermamos no tienen sentido? (Hebreos 10: 34-39; Filipenses 3: 20, 21).

E. Nombre a una persona no creyente con la cual quisiera compartir el cielo. Oren hoy en su grupo por ella.

F. Nombre a una persona de su familia o de su iglesia que usted quisiera que esté en el cielo. Dígaselo en la semana. No lo olvide. Ore con ella. (2 S. Pedro 3:9-13).

CONCLUSIÓN

Apocalipsis 21:1-8, 10, 11 y 21:22 al 22:5. ¿Qué emociones despiertan en usted estos versículos? ¿No cree usted que el cielo es demasiado hermoso como para perdérselo? Pida a Jesús hoy que su nombre permanezca en el libro de la vida del Cordero.

V. CIERRE:

A. Toma de decisiones

2. Invitación para la próxima semana

3. Oración de despedida

EL PERDÓN DE DIOS

I. ALABANZA: CÁNTICOS ESPIRITUALES (diez minutos)

II. CONFRATERNIZACIÓN (diez minutos)

    A. Nombre dos personas que influyeron positivamente en su vida espiritual.

    B. ¿Qué compraría si tuviera dinero para pagarlo?

    C. ¿A quién besó durante la semana y por qué?

    D. ¿Qué momento de la reunión de los grupos pequeños le gusta más y por qué?

III. MOMENTOS DE ORACIÓN (diez minutos)

    A. Gratitud

    B. Intercesión

    C. Petición

IV. ESTUDIO BÍBLICO (30 minutos, leer los textos y responder a las preguntas)

    A. Salmo 38:1-8. Relate una experiencia de su vida en la cual cometió un error o pecado conscientemente. ¿Qué sintió? Temor al castigo, depresión, tristeza, arrepentimiento, nada.

    B. Salmo 32:3, 4. David pasó por la misma realidad. Descubra qué sintió al cometer esos pecados consciente de lo que hacía.

    C. Proverbios 28:13. Sin duda que usted habrá confesado sus pecados a Dios. ¿Sintió su perdón? Relate su experiencia.

    D. ¿Cómo se siente el perdón? ¿Cree usted que es un estado mental, un sentimiento, o un don de Dios? (Salmo 130:1-8).

    E. Hechos 10:43; 13:38, 39; 1 Juan 2:12. El perdón está íntimamente relacionado con Jesús, él es el perdón, más que un sentimiento; experimentar el perdón es tenerlo a él.

    F. S. Lucas 7:47, 48. Amor y perdón van siempre unidos. ¿Qué surge primero en el corazón del pecador? (Colosenses 2:13; Isaías 1:18).

CONCLUSIÓN

¿Permanece en usted todavía el sentimiento de culpa a pesar de haber pedido perdón a Dios? Acuda a Jesús; si tiene al Hijo tiene la vida y tiene el perdón (Salmo 32:1-11; 103:1-5; 51:1-19). Agradezca a Dios porque Jesús hoy le ofrece su perdón inagotable.

V. CIERRE:

    A. Toma de decisiones

    B. Invitación para la próxima semana

    C. Oración de despedida

AMOR Y DOLOR

I. ALABANZA: CÁNTICOS ESPIRITUALES (diez minutos)

II. CONFRATERNIZACIÓN (diez minutos)

A. ¿Qué sería usted si pudiera cambiar su profesión u ocupación?

B. ¿Qué deporte le gusta más y por qué?

C. ¿Qué persona quisiera usted que lo apreciara o amara pero usted siente su rechazo? Hable con ella durante la semana. Lo más probable es que ella crea que usted no la aprecia.

III. MOMENTOS DE ORACIÓN (diez minutos)

A. Gratitud

B. Intercesión

C. Petición

IV. ESTUDIO BÍBLICO (30 minutos, leer los textos y responder a las preguntas)

A. 1 Juan 4:8 nos dice que "Dios es amor". ¿Cree usted que esto es un simple eslogan o una realidad? ¿Cómo explicaría usted a un matrimonio frente al ataúd de su hijito de tres años que muere víctima de un cáncer, que Dios es amor?

B. ¿Enfrentó usted alguna experiencia dolorosa y pudo ver en ello, a pesar del dolor, el amor de Dios? Relate su experiencia.

C. Eclesiastés 7:29, Génesis 1:26, 27, 31; Romanos 5:12. Dios hizo al hombre bueno y sano. Él no creó el sufrimiento, la muerte, la injusticia, el hambre, la enfermedad y el dolor. Estos son "inventos" del hombre y del autor del pecado.

D. S. Juan 3:16; 2 Corintios 5:18, 19. Si usted es padre ¿soporta más fácilmente el sufrimiento de sus hijos o el suyo propio?

E. Romanos 8:32; S. Juan 10:30. Dios vio morir a Jesús por amor.

F. Salmo 27:10; Jeremías 31:3. David y Jeremías vivieron antes de Cristo y lograron comprender el amor eterno de Dios.

G. S. Juan 16:27; Ezequiel 18:32: La expresión "Dios es amor" no es un eslogan.

CONCLUSIÓN

Salmo 103; Apocalipsis 21: 3; 22:1-5. Al igual que David y Juan ¿no cree que tenemos motivos para sentir y alabar el amor de Dios? Mencione uno.

V. CIERRE:

A. Toma de decisiones

B. Invitación para la próxima semana

C. Oración de despedida

LA ENFERMEDAD I

I. ALABANZA: CÁNTICOS ESPIRITUALES (diez minutos)

II. CONFRATERNIZACIÓN (diez minutos)

A. ¿En qué momento de su vida se sintió más cerca de Dios?

B. ¿Qué es lo que menos le gusta de su apariencia?

C. ¿Qué persona admira usted pero ella no lo sabe? Dígaselo durante esta semana.

III. MOMENTOS DE ORACIÓN (diez minutos)

A. Gratitud

B. Intercesión

C. Petición

IV. ESTUDIO BÍBLICO (30 minutos, leer los textos y responder a las preguntas)

A. Salmo 6:1-7. Sin duda alguna vez estuvo usted enfermo. ¿Cuál fue su sentimiento con relación a Dios? ¿Se sintió abandonado por Dios, castigado sin merecerlo, disciplinado al enseñarle alguna lección, amado por Dios, etc.?

B. ¿Cree usted que la enfermedad es consecuencia del pecado? Castigo de Dios, culpa del diablo, destino, intemperancia, protesta del cuerpo ante un elemento agresor.

C. Algunas enfermedades tienen su origen en nuestros pecados (2 Samuel 12:15; 2 Crónicas 21:18-20; Deuteronomio 28:21, 22, 27-29, 61). Satanás es el originador del pecado y la enfermedad.

D. Si algunas enfermedades se originan en el pecado (Satanás) ¿no cree que para ser sanados necesitamos el perdón de esos pecados? (S. Juan 5:14; S. Marcos 2:1-12; Levítico 13:10-17).

E. ¿Será que Dios permite otras enfermedades para mostrar al mundo la fe de sus hijos a pesar de sus dolencias? (Job 1:20-22; 2:4-10; 19:25-27; 2 Corintios. 12:7-10; S. Juan 11:4). ¿Cree usted que ciertas enfermedades son de origen psicosomático? (Salmo 77:1-10).

F. 3 Juan 2; Isaías 53:4; S. Mateo 8:14-17. Jesús cargó con nuestras enfermedades, él comprende al doliente; desea sanarlo.

G. ¿Se sintió alguna vez enfermo como consecuencia de un pecado? Ej: Alimentación inadecuada, poco descanso. Relate su experiencia.

CONCLUSIÓN

Isaías 33:24; Apocalipsis 22:1-5; Isaías 35:10. En el cielo no habrá enfermedad pero ¿no cree que al cambiar algunos hábitos de vida nos ahorraríamos muchas molestias? No es necesario ser un pecador para estar enfermo, pero si esa es su realidad acuda a Jesús.

V. CIERRE:

A. Toma de decisiones

B. Invitación para la próxima semana

C. Oración de despedida

¿CONTESTA DIOS SUS ORACIONES?

I. ALABANZA: CÁNTICOS ESPIRITUALES (diez minutos)

II. CONFRATERNIZACIÓN (diez minutos)

A. ¿Qué libro de la Biblia es su predilecto? ¿Por qué?

B. ¿Cree usted que valoran siempre su trabajo? Si así no fuera ¿quién quisiera usted que apreciara su labor?

C. ¿Qué oración hecha recientemente recibió respuesta?

D. ¿Cuál es el cambio más doloroso que Jesús le indujo a realizar? Coméntelo.

III. MOMENTOS DE ORACIÓN (diez minutos)

A. Gratitud

B. Intercesión

C. Petición

IV. ESTUDIO BÍBLICO (30 minutos, leer los textos y responder a las preguntas)

A. Leer S. Mateo 7:7-11. Después que usted ha orado a Dios, siente que su oración es contestada: Siempre, casi siempre, pocas veces, nunca.

B. Si su oración ha sido contestada, ¿cómo sabe que es Dios quien le contestó y no mera casualidad? Relate su experiencia.

C. ¿Cree usted que hay obstáculos para la oración cuando su vida familiar, espiritual o moral, está en oposición a la voluntad de Dios, o él siempre le contesta sin importar lo que usted haga? Lea Proverbios 28:9.

D. Isaías 59:1,2; Santiago 4:3. ¿Qué razón se expone aquí por la cual Dios no contesta? Ej: Saúl: 1 Samuel 28:6-18 (por la desobediencia).

E. ¿Piensa usted que alguien que guarda rencor hacia otra persona, o tiene malas relaciones con su familia espiritual o carnal, puede recibir la contestación de Dios a sus plegarias? ¿No estaría Dios aprobando el pecado si contestara esa oración? (S. Marcos 11:25; 1 Pedro 3:7).

F. Un egoísta, un incrédulo, o un transgresor consciente de los mandamientos de Dios, ¿puede recibir contestación del Dios infinito? Ver Proverbios 21:13; 28:9; Santiago 1:5-7.

CONCLUSIÓN

Santiago 1:16; Colosenses 4:2; Romanos 12:12. La oración es una fuente de poder, pero si usted levanta barreras, éstas pueden impedir la contestación divina. Si descubrió alguna de esas barreras en su vida pídale a Dios que la derribe para que usted pueda hacer su voluntad.

V. CIERRE:

A. Toma de decisiones

B. Invitación para la próxima semana

C. Oración de despedida

LA BIBLIA

I. ALABANZA: CÁNTICOS ESPIRITUALES (diez minutos)

II. CONFRATERNIZACIÓN (diez minutos)

A. Los frutos del Espíritu son: amor, gozo, paz, paciencia, amabilidad, bondad, fe, mansedumbre, templanza, control de sí mismo, fidelidad. ¿Cuál es el que menos se manifiesta en usted?

B. ¿Cuál fue el mejor regalo que recibió en su vida?

C. Mencione a una persona que cree que está necesitada de afecto y apoyo. Acérquese a ella y exprésele su comprensión.

III. MOMENTOS DE ORACIÓN (diez minutos)

A. Gratitud

B. Intercesión

C. Petición

IV. ESTUDIO BÍBLICO (30 minutos, leer los textos y responder a las preguntas)

A. Salmo 119:105. Comente la razón por la que lee usted la Biblia. ¿Conoce usted su Biblia? Mencione cuántos autores y libros tiene, quién y en qué año se comenzó a escribir y cuál fue el último de sus escritores (66 libros, 40 autores, Moisés, 1500 a.C.; Juan, 100 d.C.).

B. Singularidades: (a) Escrita en tres continentes: Asia, África, Europa. (b) En tres idiomas: griego, hebreo, arameo. (c) Escrita por pescadores, reyes, rabinos, médicos, pastores, otros.

C. A pesar de su diversidad de autores y las distantes épocas de su tiempo de escritura, no hay en ella contradicciones. ¿Qué reflexión surge en su mente?

D. ¿Cree usted que la Biblia *es* la palabra de Dios o *contiene* la palabra de Dios? (2 Timoteo 3:16).

E. Hebreos 4:12. (1) La Escritura es viva, eficaz. No es simple letra. El Espíritu Santo que la inspiró le da vida. (2) La Escritura es activa, "penetra hasta partir el alma". ¿Qué significa para usted esta expresión? Coméntelo.

F. 1 Pedro 1:23-25. Por medio de la Escritura "renacemos". ¿Cree usted que simplemente con leer se produce esta regeneración? (Hechos 8:29-31). El Espíritu Santo utilizó a Felipe para que el etíope entendiera lo que leía. Sin el Espíritu Santo no hay regeneración (Santiago 1:5-7; S. Lucas 11:13). Pida a Dios el Espíritu Santo. ¿Ha leído la Biblia por años sin que se efectúe la regeneración en su vida? Léala con el que la inspiró, el Espíritu Santo.

CONCLUSIÓN

S. Juan 5:39. ¿Está dispuesto hoy a seguir plenamente lo que Dios le dice por medio de su Palabra? Dígaselo en oración.

V. CIERRE:

A. Toma de decisiones

B. Invitación para la próxima semana

C. Oración de despedida

LA DEPRESIÓN

I. ALABANZA: CÁNTICOS ESPIRITUALES (diez minutos)

II. CONFRATERNIZACIÓN (diez minutos)

A. ¿Qué estación del año describe mejor su vida ahora? ¿Por qué?

B. Si Jesús le dijera: "Pídeme una cosa y te la daré" ¿qué le pediría?

C. ¿Cuál es su reacción ante una ofensa? Enojo, llanto, venganza, gritos, rencor, olvido, odio, deseo de reconciliación. ¿Cuál es la forma correcta de reaccionar?

III. MOMENTOS DE ORACIÓN (diez minutos)

A. Gratitud

B. Intercesión

C. Petición

IV. ESTUDIO BÍBLICO (30 minutos, leer los textos y responder a las preguntas)

A. Salmo 25:16-18; 142:1-7. ¿Estuvo alguna vez deprimido? ¿Cuánto tiempo? (un día, un mes, un año). Entendemos por depresión esa condición de decaimiento, angustia, sentimiento de culpa, ensimismamiento, actitud pesimista ante la vida. ¿Pudo superarlo? ¿Cómo? Relate su experiencia.

B. La depresión es consecuencia de malos tratos en la niñez, falta de amor, pecado, un problema orgánico, independencia de Dios.

C. En su opinión, ¿puede un cristiano estar deprimido? Mencione ejemplos bíblicos (Job 3:3, 11-26; 10:1, 18-20; Jeremías 20:14-18)

D. No es pecado pasar por un período de depresión, pero sí vivir angustiados o deprimidos. Algunos encuentran la solución en el estudio de la Biblia y la oración (Ej: Daniel 8:27; 9:2-5, 17-19; Daniel 9:20-23). Otros no pueden salir solos del pozo depresivo; para ayudarlos Dios utiliza a otros miembros de la iglesia, a pastores, psicólogos, médicos (Salmo 18:6).

E. Hay razones comunes que llevan a la depresión: pérdida del esposo/a o de algún familiar, pérdida de trabajo, embarazo, cambio de casa, diagnóstico de enfermedad grave, soledad, presiones (Jueces 16:16), cambio de etapa de vida, etc. (nombre otras). Mencione a alguien que esté enfrentando alguno de estos problemas ¿Puede ayudarlo? (Romanos 12:15). Acérquese a esa persona durante esta semana y exprésele su comprensión, ore con él/ella.

CONCLUSIÓN

Salmo 91:14-16; 118:5-9; 86:7; 50:15; 77:2-10; S. Mateo 11:28-30. Si usted está deprimido alabe a Dios por haber encontrado hoy en Jesús la solución (Santiago 5:13).

V. CIERRE:

A. Toma de decisiones

B. Invitación para la próxima semana

C. Oración de despedida

EL HOGAR

I. ALABANZA: CÁNTICOS ESPIRITUALES (diez minutos)

II. CONFRATERNIZACIÓN (diez minutos)

    A. ¿A qué persona le gustaría conocer mejor, y por qué?

    B. Excluyendo a Jesús ¿cuál es la persona en la que más confía? Si no confía en nadie, comente el porqué.

    C. ¿Qué cosas le gustan del invierno?

III. MOMENTOS DE ORACIÓN (diez minutos)

    A. Gratitud

    B. Intercesión

    C. Petición

IV. ESTUDIO BÍBLICO (30 minutos, leer los textos y responder a las preguntas)

    A. 2 Samuel 6:16, 20-23. ¿Qué reflexión le merecen estos versículos? ¿Cree que David y Mical constituían un hogar feliz? Mical amaba a David cuando se casaron (1 Samuel 18:20). Saúl logró separarlos y casar a su hija con Paltiel. Cuando David llegó a ser rey exigió que ella le fuera restituida (2 Samuel 3:12-16). ¿Cómo cree usted que se debía solucionar ese problema familiar? ¿Será que después de veinte años, David y Mical continuaban amándose?

    B. ¿Cree usted que su hogar es maravilloso, normal, o desdichado?

    C. De su familia, ¿a quién le cuesta entender más? ¿Por qué?

    D. ¿Se reúne su familia al menos una vez al día para conversar, orar, cantar, estudiar la Biblia?

    E. ¿Qué aspectos considera usted que debería mejorar hoy su hogar?

    F. ¿Hay en su hogar: gritos, peleas, pellizcos, malas miradas, mutismo, golpes, malas palabras, enojo? Esto es siempre, casi siempre, rara vez, nunca. Si así fuera, ¿quién es el culpable? Esposo/a, hijos, parientes, pastor, hermanos de la iglesia, vecinos, el destino, papá, mamá. Piénselo (Proverbios 15: 1).

    G. ¿Se perciben en su hogar palabras amables, besos, abrazos, obsequios, miradas tiernas, caricias, diálogo? Esto es siempre, casi siempre, rara vez, nunca. Practíquelo.

CONCLUSIÓN

Las cosas que están bien en su hogar afírmelas, las que están mal (aunque parezca imposible) tienen solución en Jesús. Él solucionó los problemas de Jairo, Marta, los gadarenos, Zaqueo (S. Lucas 19:8-10).

¿No cree que con Jesús puede llegar hoy la salvación a su hogar?

Pídaselo en oración.

V. CIERRE:

    A. Toma de decisiones

    B. Invitación para la próxima semana

    C. Oración de despedida

LA ALIMENTACIÓN

I. ALABANZA: CÁNTICOS ESPIRITUALES (diez minutos)

II. CONFRATERNIZACIÓN (diez minutos)

A. ¿Por qué quiere ir al cielo?

B. ¿Qué es lo que más le ha preocupado durante esta semana?

C. Mencione cada uno una persona a quien una visita del grupo pequeño le haría bien. Programen juntos visitarla durante la semana. No lo olvide.

III. MOMENTOS DE ORACIÓN (diez minutos)

A. Gratitud

B. Intercesión

C. Petición

IV. ESTUDIO BÍBLICO (30 minutos, leer los textos y responder a las preguntas)

A. Génesis 3:6. Además de "desobediencia" con qué palabras definiría usted el pecado cometido por Adán y Eva? ¿Cree usted que la complacencia sigue siendo una fuente de lucha para el cristiano de hoy?

B. ¿Cuál fue la dieta edénica que Dios indicara a nuestros primeros padres? (Génesis 1:29). Una vez expulsados del Edén, ¿qué se añadió a la dieta original? (Génesis 3: 18). ¿Cuándo autorizó Dios al hombre el consumo de carne? (Génesis 9:3). ¿Cree usted que Noé y sus descendientes conocían la diferencia entre los animales limpios e inmundos? Respuesta: Sí (Génesis 7:2, 8:20). ¿Cuál fue la consecuencia del consumo de la carne? Descúbrala (Génesis 3:5, 25:7, se acortó la vida del hombre).

C. ¿Considera usted que Dios tiene derecho a indicarle al hombre los alimentos que debe comer? ¿Por qué? (1 Corintios 6:19, 20).

D. ¿Hay alguna relación entre la salud del cuerpo y el bienestar espiritual? Menciónelas.

E. Cuál es el deseo de Dios para sus hijos? (3 Juan 2).

F. ¿Cómo calificaría su dieta familiar a la luz de los conocimientos que posee de la Biblia? Excelente, buena, regular, impropia (Santiago 4:17).

CONCLUSIÓN

Dios es nuestro creador por lo tanto sabe lo que es mejor para nuestra salud. "La salud no depende del azar. Es resultado de la obediencia a la ley [divina]".*
Si tiene falta de voluntad pídasela a Dios hoy mismo; él le dará el dominio propio para poder ser un vencedor (2 Timoteo 1:7; 3 Juan 11).

V. CIERRE:

A. Toma de decisiones

B. Invitación para la próxima semana

C. Oración de despedida

---

* Elena G. de White, *El ministerio de curación*, p. 90.

LOS MANDAMIENTOS

I. ALABANZA: CÁNTICOS ESPIRITUALES (diez minutos)

II. CONFRATERNIZACIÓN (diez minutos)

    A. ¿Cuál será su primera pregunta a Jesús cuando esté en el cielo?

    B. Excluyendo a Jesús, ¿cuál es la persona que usted siente que más lo ama? (persona o personas).

    C. Nombre a una persona que le gustaría que participara de la reunión del grupo pequeño. Invítela durante la semana. Que todo el grupo ore por ella. No lo olvide.

III. MOMENTOS DE ORACIÓN (diez minutos)

    A. Gratitud

    B. Intercesión

    C. Petición

IV. ESTUDIO BÍBLICO (30 minutos, leer los textos y responder a las preguntas)

    A. Éxodo 20:1-17. Enumere los Diez Mandamientos. ¿Cuál de los mandamientos le gusta más y por qué? ¿Cuál le resultaría más difícil de cumplir o guardar?

    B. ¿Cree usted que algún mandamiento es más importante que otro? (Santiago 2:10, 11).

    C. ¿Quién escribió los mandamientos? Moisés, Aarón, Dios (Deuteronomio 9:9, 10). ¿Por qué fue Dios quien escribió los Diez Mandamientos y no Moisés u otro? Según la Biblia lo que Dios hace es eterno (Malaquías 3:6; Salmo 119:152).

    D. Jesús guardó los mandamientos, ¿por qué? (S. Mateo 5:17, 18; S. Juan 15:10).

    E. ¿Qué produce en usted el tener que guardar los mandamientos? Tristeza, estrés, obligación, felicidad, sometimiento, paz.

    F. ¿Cree usted que el hombre puede guardar todos los mandamientos? (S. Juan 15:5). Solos nada podemos hacer; es por eso que la ley es nuestro guía para llevarnos a Cristo (Gálatas 3:24), quien nos fortalece para poder serle fieles.

    G. ¿Qué sentimiento cree que nos debería impulsar a guardar los mandamientos? ¿Temor o amor? (Salmo 119:48, 97; S. Juan 14:15).

    H. Según el apóstol Juan, ¿cómo mostramos nuestro amor a Dios? S. Juan 5:2, 3. ¿Qué significa la expresión "no son gravosos"?

CONCLUSIÓN

Salmo 119:1-8. El guardar los mandamientos por amor produce felicidad y deseo de alabar a Dios. ¿Es ésta su experiencia hoy? (Salmo 119:14-16, 92, 93, 165). Los que lleguen al cielo habrán guardado los mandamientos (Apocalipsis 12:17).

V. CIERRE:

    A. Toma de decisiones

    B. Invitación para la próxima semana

    C. Oración de despedida

EL AMOR ENTRE LOS HERMANOS

I. ALABANZA: CÁNTICOS ESPIRITUALES (diez minutos)

II. CONFRATERNIZACIÓN (diez minutos)

A. Si tuviera que calificar sus años vividos del 1 al 10. ¿Qué calificación le daría? ¿Por qué?

B. Comente lo que más le agrada de sus padres (o le agradaba, si ellos ya no viven).

C. Piense: ¿Qué nos proporciona mayor felicidad, que los demás nos sirvan o servir a los demás? (Hechos 20:35).

III. MOMENTOS DE ORACIÓN (diez minutos)

A. Gratitud

B. Intercesión

C. Petición

IV. ESTUDIO BÍBLICO (30 minutos, leer los textos y responder a las preguntas)

A. S. Juan 4:20, 21. ¿Cree usted que el cristiano debe amar a todas las personas? Si así fuera, ¿puede usted afirmar que ama a todos sus semejantes? Dentro de su iglesia ¿hay alguna persona a la que le cuesta amar, aceptar o soportar? Si es así ¿cuál es la solución? Que esa persona sea trasladada a otra iglesia, que apostate, que venga y me pida perdón, que yo me acerque a ella e intente romper las barreras que nos alejan, que el pastor converse con los dos, que las cosas sigan como están, que se muera.

B. S. Juan 13:34, 35. La evidencia de que somos cristianos es amarnos los unos a los otros. Si tengo resentimiento hacia algún hermano, ¿significaría que no soy cristiano?

C. S. Juan 13:34, 15:12, 17; S. Juan 3:11, 23; 4:21. "Amaos" no es un simple consejo, es un mandamiento. ¿Cómo se logra cumplir este mandamiento?

D. Romanos 12:9, 10; 13:8-10. La Biblia habla de un amor profundo, como el que se siente por la propia familia. "El amor sea sin fingimiento" (vers. 9). Jesús, Pablo y los primeros cristianos experimentaron este amor (Filipenses 1:8; S. Juan 13:1, 3:16; 2 Corintios 2:4).

E. 1 Pedro 1:22, 23. Según el vers. 23, ¿cuál es el secreto para amar a los demás "entrañablemente, de corazón puro"? ("siendo renacidos"). ¿Qué significa esta expresión?

F. 1 Juan 2:10, 11. La Biblia dice que si usted no ama "las tinieblas le han cegado". ¿Cuál es el secreto para tener verdadero amor? (1 Juan 4:7, 8).

CONCLUSIÓN

1 Corintios 13:13; Hebreos 13:1. Si hay en su iglesia algún hermano a quien le cuesta amar, acérquese a él, oren juntos y Dios hará el "milagro del amor".

V. CIERRE:

A. Toma de decisiones

B. Invitación para la próxima semana

C. Oración de despedida

EL TEMOR

I. ALABANZA: CÁNTICOS ESPIRITUALES (diez minutos)

II. CONFRATERNIZACIÓN (diez minutos)

A. ¿Qué es lo que más le agrada(ba) de sus padres? ¿Por qué?

B. ¿Cuál es el color que más le gusta? ¿Por qué?

C. Memorice Hechos 1:8, son las últimas palabras de Jesús. ¿Las está cumpliendo? Hágalo durante la semana al contarle a una persona lo que significa Jesús para usted.

III. MOMENTOS DE ORACIÓN (diez minutos)

A. Gratitud

B. Intercesión

C. Petición

IV. ESTUDIO BÍBLICO (30 minutos, leer los textos y responder a las preguntas)

A. Salmo 55:4, 5. Muerte, futuro, accidente, enfermedad, pobreza, pérdida de trabajo, soledad, infidelidad (esposo/a), abandono (familia), desprecio, perdición eterna. ¿Alguna de estas cosas le causa temor? ¿Puede un cristiano sentir miedo? Repase la lista y mencione al grupo cuáles son sus temores.

B. Hebreos 2:15. El apóstol menciona que los temerosos (temor a la muerte) están sujetos a servidumbre.

C. ¿Sabía usted que Satanás utiliza el temor para que la iglesia no crezca? El temor nos impide hablar a otros de Jesús y mostrar cuán felices somos.

D. La Biblia dice que "Dios no nos ha dado espíritu de esclavitud" (Romanos 8:15), entonces ¿quién produce el temor?

E. ¿Cómo se origina el temor? Dedúzcalo a la luz de estos pasajes: Génesis 3:6-11; Proverbios 28:1 (pecado); Génesis 31:31; 32:6, 7 (engaño). El temor siempre tiene su origen en algún pecado o en la desconfianza de la protección divina.

F. Jueces 7:1-3; Proverbios 29:25. Dios impidió que los temerosos lucharan contra los madianitas. ¿Por qué?

G. S. Mateo 14:23-32. Analice esta historia y descubra las consecuencias del temor para Pedro y para los discípulos. ¿No cree usted que si hay en nuestro corazón temor podemos pasar por la misma experiencia? ¿No será que Jesús le dice a usted que se está hundiendo, "¡Hombre de poca fe! ¿Por qué dudaste?"

CONCLUSIÓN

2 Timoteo 1:7; S. Mateo 10:26-31, S. Juan 14:27, Salmo 23:4, 55:22. Si en su corazón hay temor, pídale a Dios más amor. Si en su vida hay pecados, pida a Jesús que lo limpie y el temor se desvanecerá.

V. CIERRE:

A. Toma de decisiones

B. Invitación para la próxima semana

C. Oración de despedida

LA FE

I. ALABANZA: CÁNTICOS ESPIRITUALES (diez minutos)

II. CONFRATERNIZACIÓN (diez minutos)

A. Mencione tres cosas por las cuales se siente feliz de vivir.

B. Mencione una persona que usted cree o ve que es feliz.

C. Según su opinión, ¿cómo se debe predicar el Evangelio? Practique durante la semana lo que usted comentó.

III. MOMENTOS DE ORACIÓN (diez minutos)

A. Gratitud

B. Intercesión

C. Petición

IV. ESTUDIO BÍBLICO (30 minutos, leer los textos y responder a las preguntas)

A. Hebreos 11:6. ¿Tiene usted fe? Si su respuesta es afirmativa, ¿cuál es la prueba de su fe? ¿Tiene mucha o poca fe? ¿Más que un grano de mostaza?

B. Hebreos 11:1 ¿Cuál cree usted que es el mensaje que Dios nos quiere dar a través de este versículo? ¿Qué significa para usted "certeza y convicción"?

C. ¿Cuál es el mayor enemigo de la fe? (Santiago 1:6). ¿Duda usted?

D. S. Mateo 17:14-20. Jesús reprende a sus discípulos por su falta de fe, razón por la cual no habían podido sanar al niño. ¿Es hoy su fe mayor que la de los discípulos?

E. S. Marcos 4:35-40; Levítico 8:22-25. ¿Era justificado el temor de los discípulos? ¿Por qué cree usted que Jesús reprendía la falta de fe de ellos en vez de haber tomado ese temor como algo natural? ¿No le parece que ante el mar embravecido de la vida muchas veces actuamos igual que los discípulos? Nos olvidamos que Jesús está con nosotros. "Si Dios es por nosotros, ¿quién contra nosotros".

F. S. Mateo 15:21-28 ¿En qué radicó el secreto de la fe de la mujer cananea? Imítela.

G. 1 Pedro 1:6-9. El verdadero cristiano debe aceptar que su fe sea probada; tal vez hoy el Señor esté probando su fe, tal vez lo hizo en el pasado; no tenga temor, el propósito no es hacerle daño sino fortalecer su fe en él.

CONCLUSIÓN

Hebreos 2:4; S. Mateo 6:25-33; 2 Corintios 5:7. A medida que nos acercamos al fin tendremos que depender más de la fe y no de la "vista". Sea su oración hoy: "Señor auménta[me] la fe" (S. Lucas 17:5).

V. CIERRE:

A. Toma de decisiones

B. Invitación para la próxima semana

C. Oración de despedida

"ME LEVANTARÉ E IRÉ A MI PADRE"

I. ALABANZA: CÁNTICOS ESPIRITUALES (diez minutos)

II. CONFRATERNIZACIÓN (diez minutos)

A. ¿Cuál es el momento del día que más le agrada? ¿Por qué?

B. Excluyendo a Jesús y a su esposo/a, ¿quién es su mejor amigo/a? Si no lo tuviera, diga el porqué.

C. Relate en pocas palabras, cómo conoció a Jesús. ¿No será que él desea utilizarlo/a a usted para que otros también lo conozcan? En la semana tendrá la oportunidad de hacerlo.

III. MOMENTOS DE ORACIÓN (diez minutos)

A. Gratitud

B. Intercesión

C. Petición

IV. ESTUDIO BÍBLICO (30 minutos, leer los textos y responder a las preguntas)

A. S. Lucas 15:11-32. Mencione a los seis personajes de la historia. ¿Con cuál de ellos se identifica?

B. ¿Por qué cree usted que el padre no obligó al hijo menor a permanecer en casa? ¿No fue un poco blando como padre? Si su hijo menor le hiciera hoy la misma proposición que el hijo menor, ¿cuál sería su respuesta? ¿Por qué?

C. Si su hijo/a, esposo/a cometió o llegara a cometer el mismo error que el hijo menor, ¿estaría dispuesto como padre o esposo/a a perdonar? (Colosenses 3:13; S. Lucas 17:3, 4).

D. Si su hermano/a carnal o de iglesia cometiera el mismo error, ¿estaría dispuesto a perdonar, o su actitud sería la del hijo mayor?

E. ¿Cree usted que el hijo mayor tenía razón en quejarse? ¿No habría sido injusto el padre al no darle ni siquiera un cabrito? (vers. 29, 30).

F. ¿Cuál es el defecto del hijo mayor? El hijo mayor albergaba en su corazón rencor y odio, y permanecía en el hogar para demostrar que era el mejor, pero no por amor al padre. ¿Qué reflexión merece esta declaración?

G. A partir de ese día hubo dos hijos en casa: uno, el pecador arrepentido, el otro, el orgulloso e impenitente (S. Lucas 15:7-10, 25-32).

CONCLUSIÓN

Apocalipsis 3:20; S. Lucas 18:9-14; S. Juan 10:16, 27, 28. No importa cuán pecador sea usted, deje hoy los "cerdos" y regrese a casa, Cristo lo espera. Entréguese a él ahora en oración.

V. CIERRE:

A. Toma de decisiones

B. Invitación para la próxima semana

C. Oración de despedida

LA SEGUNDA VENIDA

I. ALABANZA: CÁNTICOS ESPIRITUALES (diez minutos)

II. CONFRATERNIZACIÓN (diez minutos)

A. Según su opinión, ¿cuál es su mayor virtud?

B. Según su opinión, ¿cuál es la mayor virtud de la persona que está sentada a su lado derecho?

C. ¿Cree usted que, con el poder del Espíritu Santo, está capacitado para hablarle a otra persona de Jesús y ofrecerle estudiar la Biblia? Pídale al Espíritu Santo que en la semana le muestre a esa persona.

III. MOMENTOS DE ORACIÓN (diez minutos)

A. Gratitud

B. Intercesión

C. Petición

IV. ESTUDIO BÍBLICO (30 minutos, leer los textos y responder a las preguntas)

A. S. Juan 14:3. La promesa de la segunda venida de Cristo es la promesa que más se repite en la Biblia. Vendrá en las nubes (Apocalipsis 1:7; 14:14); todo ojo lo verá (S. Mateo 24:27); vendrá en forma corporal (Hechos 1:9-11; con poder y gloria (S. Mateo 24:30); a pagar a cada uno según sus obras (S. Mateo 16:27).

B. Si Jesús regresara hoy, ¿en cuál de los grupos se encontraría usted? Lea S. Mateo 25:31-34, 40. ¿Por qué?

C. ¿Qué produce en usted la realidad de un juicio final? Miedo, alegría, estrés, incertidumbre, indiferencia (Apocalipsis 20:12).

D. ¿Cuándo quisiera usted que Jesús regresara? ¿Por qué? ¿Qué está haciendo para que su deseo se cumpla?

E. Refelexione en la majestuosa descripción que hace el apóstol Juan en el Apocalipsis de la segunda venida de Cristo (Apocalipsis 6:12-17; 7:9-17).

F. Mencione las señales previas a la segunda venida que usted cree que ya se han cumplido y las que aún faltan por cumplirse. Fundaméntelo con la Biblia.

CONCLUSIÓN

S. Mateo 24:42-46; 24:14. Haga su parte para que cuando el Señor regrese lo encuentre como un siervo útil. No olvide que hoy alguien está esperando que usted le hable del pronto advenimiento de Jesús (2 Pedro 3:9-14).

V. CIERRE:

A. Toma de decisiones

B. Invitación para la próxima semana

C. Oración de despedida

LOS FRUTOS

I. ALABANZA: CÁNTICOS ESPIRITUALES (diez minutos)

II. CONFRATERNIZACIÓN (diez minutos)

A. ¿Cuánto tiempo dedica diariamente para orar? ¿Cree usted que necesita dedicar más tiempo para orar? Si su respuesta es afirmativa, ¿por qué no lo hace?

B. ¿Está feliz usted con el cuerpo que Dios le dio? ¿Le hubiera gustado ser distinto/a? ¿Qué cosas de su apariencia cambiaría? ¿Sabía usted que hay mucha gente en el mundo a quien le hubiese gustado ser como usted? (1 Samuel 16:7).

C. Lea la pregunta C del punto II del tema N° 18. ¿Encontró a esa persona? Cuéntele al grupo su experiencia. Pídale a alguno del grupo que lo acompañe en la semana a dar ese estudio bíblico y pídales al ministro y al grupo que oren durante la semana.

III. MOMENTOS DE ORACIÓN (diez minutos)

A. Gratitud

B. Intercesión

C. Petición

IV. ESTUDIO BÍBLICO (30 minutos, leer los textos y responder a las preguntas)

A. S. Lucas 13:6-9. ¿A quién representan?: "el hombre" (Dios), "la higuera" (el cristiano), "la viña" (la iglesia), "el viñador" (Jesús).

B. ¿Qué tres perjuicios traía la higuera a su dueño? (1) No daba fruto, (2) inutilizaba la tierra, (3) hacía perder tiempo al viñador. ¿Cómo se aplica ésto en la vida cristiana práctica? Coméntelo.

C. Piense: ¿Como cristiano, da usted buenos y abundantes frutos? ¿Qué frutos trajo usted al Señor durante este año? o, ¿no será que está "inutilizando la tierra"?

D. S. Mateo 12:30-33. No podemos ser neutrales; o recogemos para Jesús y su iglesia o desparramamos con el enemigo de Cristo y sus huestes.

CONCLUSIÓN

S. Lucas 13:8, 9. Dios en su misericordia le da hoy otra oportunidad (S. Mateo 21:18, 19). "El corazón que no responde a los agentes divinos, llega a endurecerse hasta que no es más susceptible a la influencia del Espíritu Santo. Es entonces cuando se pronuncia la palabra: 'córtala, ¿por qué ocupará aún la tierra?'".*

V. CIERRE:

A. Toma de decisiones

B. Invitación para la próxima semana

C. Oración de despedida

---

* Elena G. de White, *Palabras de vida del Gran Maestro*, p. 172.

LA OVEJA PERDIDA

I. ALABANZA: CÁNTICOS ESPIRITUALES (diez minutos)

II. CONFRATERNIZACIÓN (diez minutos)

A. ¿Tiene algún problema al que no le encuentra solución? ¿Oró a Jesús para que le muestre su voluntad? Si así lo hizo coméntelo ahora con el grupo, tal vez el Señor utilice a alguno de ellos para mostrarle su voluntad (si usted no siente deseos de comentarlo, no lo haga).

B. ¿Quién es su mayor enemigo? (persona o cosa).

C. Lea la pregunta C del punto II de los temas N° 18 y 19. Comente con el grupo cómo fue su experiencia al hablarle a otro de Jesús. ¿Necesita ayuda para dar el estudio bíblico o para encontrar a la persona indicada? Póngase de acuerdo con el ministro laico y hagan la visita juntos. Si no encontró a los interesados, pregúntese si oró por ellos antes de visitarlos. Si así lo hizo, ¿quién falló? No lo olvide; Dios siempre cumple sus promesas.

III. MOMENTOS DE ORACIÓN (diez minutos)

A. Gratitud

B. Intercesión

C. Petición

IV. ESTUDIO BÍBLICO (30 minutos, leer los textos y responder a las preguntas)

A. "Estudiad la parábola de la oveja perdida y salid como verdaderos pastores, buscando al descarriado que está en el desierto del pecado. Rescatad al que perece".*

B. S. Lucas 15:1-7. ¿Por qué cree usted que se acercaban a oír a Jesús los publicanos y los pecadores?

C. ¿Cree usted que la protesta de los escribas y fariseos tenía fundamento? ¿Por qué? ¿Qué podemos aprender de estos dos versículos?

D. S. Lucas 15:3-7. ¿Sabía la oveja que estaba perdida? (Sí). ¿Sabía cómo regresar? (No). El pastor toma la iniciativa. ¿Qué nos enseña ésto? El pastor no regaña a la oveja perdida sino que la lleva sobre sus hombros ¿Por qué? Regresa gozoso. ¿Experimentó alguna vez esa felicidad? Relátelo.

E. La parábola no habla de fracaso sino de éxito. ¿Participa usted en la búsqueda de la oveja perdida? (S. Mateo 10:6).

CONCLUSIÓN

S. Lucas 15:5-7. Llega a su casa y reúne al "grupo pequeño" y le dice: "Gozaos conmigo", encontré la oveja perdida. (S. Juan 17:18.)

V. CIERRE:

A. Toma de decisiones

B. Invitación para la próxima semana

C. Oración de despedida

---

* Elena G. de White, *Palabras de vida del Gran Maestro*, pp. 144–151.

EL DOBLE ÁNIMO

I. ALABANZA: CÁNTICOS ESPIRITUALES (diez minutos)

II. CONFRATERNIZACIÓN (diez minutos)

A. ¿Se siente feliz de ser varón o mujer? ¿Por qué?

B. ¿A qué enfermedad le teme? ¿Por qué?

C. Sin duda que ya habrá encontrado a alguien a quien dar estudios bíblicos. Sume el total de estudios del grupo, para que el ministro laico lo coloque en el informe ahora. Tomen nota de todos los nombres y oren diariamente para que estas personas se entreguen a Jesús en la "semana de cosecha". Si usted todavía no tiene un estudio bíblico y desea conseguirlo, ore fervientemente por ello durante la semana.

III. MOMENTOS DE ORACIÓN (diez minutos)

A. Gratitud

B. Intercesión

C. Petición

IV. ESTUDIO BÍBLICO (30 minutos, leer los textos y responder a las preguntas)

A. Santiago 1:8. "Doble ánimo" significa dos corazones, dos almas. Es la actitud de la persona que vacila entre la fe y la incredulidad. ¿Es usted una persona de doble ánimo? ¿Vacila entre servir a Jesús o al mundo?

B. Mencione en qué áreas de su vida siente este conflicto: Familiar, espiritual, afectiva, laboral, misionera.

C. Santiago 1:8 "Es inconstante en todos sus caminos". ¿Qué significa esto para usted? Literalmente la expresión griega podría traducirse como "catastrófico".

D. ¿No cree usted que uno de los factores que más deterioran nuestra vida espiritual es el doble ánimo? Que cada uno mencione un perjuicio que ocasiona a nuestra vida espiritual y a la iglesia, el ser de doble ánimo (Santiago 1:6, 7).

E. S. Mateo 6:24. Cristo nos alerta con respecto a este problema.

¿Cree usted que la persona de doble ánimo es feliz? ¿Por qué?

F. Santiago 4:8. El consejo es explícito: "Purificad vuestros corazones". Deducimos que el doble ánimo es entonces una consecuencia de un corazón impuro.

CONCLUSIÓN

1 Crónicas 12:33. Entre los de Zabulón había 50.000 guerreros que eran "sin doblez de corazón". ¿No cree usted que el Espíritu de Dios desea hoy lograr en su corazón un sólo ánimo? Permítaselo. Será usted un cristiano más feliz.

V. CIERRE:

A. Toma de decisiones

B. Invitación para la próxima semana

C. Oración de despedida

¿CÓMO SE PIERDE LA SENSIBILIDAD?

I. ALABANZA: CÁNTICOS ESPIRITUALES (diez minutos)

II. CONFRATERNIZACIÓN (diez minutos)

A. ¿Cree usted que Dios tiene un plan para su vida? Si así fuera; ¿cree conocer ese plan divino?

B. ¿Cómo cree usted que un ser humano puede distinguir el plan de Dios para él?

C. ¿Sabía usted que una gran parte de los miembros de los "grupos pequeños" ya tiene su estudio bíblico? Si usted ya lo tiene, ¿qué lo motiva para estudiar con otra persona la Palabra de Dios? Si usted no lo está haciendo, ¿cuál es la razón? El servicio a Dios no debe ser forzado, ni tornarse en una carga. Hemos de servirle por amor y gratitud.

III. MOMENTOS DE ORACIÓN (diez minutos)

A. Gratitud

B. Intercesión

C. Petición

IV. ESTUDIO BÍBLICO (30 minutos, leer los textos y responder a las preguntas)

A. Santiago 1:13-15; 4:1-4. ¿Qué cosas le atraen y lo seducen? Dinero, baile, alcohol, tabaco, modas, sexo, pornografía, crítica (chisme), otros.

B. Santiago 1:15. ¿Dónde nace el pecado? (En nuestra mente).

C. Romanos 1:30-32. ¿Qué le llama la atención de la descripción que el apóstol Pablo hace acerca de la culpabilidad del hombre? Lea nuevamente los vers. 21, 28, 32. ¿Cree usted que estas personas ignoraban la voluntad de Dios? Cuando usted es seducido por el pecado, ¿es porque ignora la voluntad de Dios, o peca conscientemente?

D. Efesios 4:12-20. "Perdieron toda sensibilidad". ¿No cree usted que si persistimos en el pecado corremos el grave peligro de "perder toda sensibilidad"?

E. Hebreos 10:26, 27. ¿Qué reflexión le merecen estos versículos?

CONCLUSIÓN

1 Corintios 2:16, Santiago 4:7. ¿No cree usted que es el momento de entregar al Señor nuestras mentes? (Santiago 1:12; Jeremías 17:14). Que esta sea su experiencia hoy.

V. CIERRE:

A. Toma de decisiones

B. Invitación para la próxima semana

C. Oración de despedida

EL LLANTO

I. ALABANZA: CÁNTICOS ESPIRITUALES (diez minutos)

II. CONFRATERNIZACIÓN (diez minutos)

A. Relate al grupo algún momento de su vida en el que sintió que la mano de Dios lo guiaba.

B. ¿Alguna oración que usted hizo no fue contestada por Dios como usted quería? ¿Aceptó esa realidad o se rebeló contra él?

C. Que cada miembro del grupo relate su experiencia de la semana al dar el estudio bíblico. ¿Olvidó alguien durante esta semana orar por quienes están estudiando la Biblia? Hagan la lista nuevamente y que el ministro laico anote ahora, en la parte inferior del informe, el total de estudios dado por el grupo.

III. MOMENTOS DE ORACIÓN (diez minutos)

A. Gratitud

B. Intercesión

C. Petición

IV. ESTUDIO BÍBLICO (30 minutos, leer los textos y responder a las preguntas)

A. Job 16:16. ¿Lloró usted alguna vez? ¿Por qué? La última vez que lloró, ¿cuál fue la razón? Por: hijos, esposo/a, pecados no superados, enfermedad, impotencia ante las dificultades, problemas económicos, padres, muerte, frustración, castigo, otros.

B. S. Mateo 5:4 ¿A qué se refiere Jesús cuando dice "bienaventurados los que lloran"? ¿Cree usted que Dios se goza en el sufrimiento humano?

C. S. Mateo 5:4. "Recibirán consolación". ¿Recibió usted el consuelo de Jesús? Si así fuera, relate su experiencia. Si aún no lo recibió Jesús le pregunta: "¿Por qué lloras?" (S. Juan 20:15).

D. S. Juan 11:35; S. Lucas 19:41-44. Comente: ¿Cuál fue la razón del llanto de Jesús? ¿Lloraba él por sí mimo, como muestra de autocompasión? No. Lloró por Lázaro y por los habitantes de una ciudad que no aceptarían la salvación. ¿Por qué llora hoy usted? ¿No será que debe alejar los sentimientos de autocompasión?

E. Romanos 12:15. ¿Puede usted hacerlo?

F. 1 Samuel 1:8, 18. Ana lloraba por su esterilidad. ¿Recibió consuelo? No estuvo más triste.

CONCLUSIÓN

Jesús es hoy la solución para los que lloran. Permita que él enjugue sus lágrimas. Él vive. No hay razón para llorar (S. Lucas 8:52-54, 7:13, 14; Apocalipsis 21:4).

V. CIERRE:

A. Toma de decisiones

B. Invitación para la próxima semana

C. Oración de despedida

LA RED BARREDORA

I. ALABANZA: CÁNTICOS ESPIRITUALES (diez minutos)

II. CONFRATERNIZACIÓN (diez minutos)

A. ¿Cuál es el objeto de su casa que más le agrada o ama?

B. Si tuviera tiempo, oportunidad y dinero, ¿qué cosa haría que nunca pudo hacer, y es como un sueño frustrado?

C. ¿Cree que hay alguna persona que nunca conocería a Jesús si no fuera por su testimonio? Lea Ezequiel 3:16-21; 33:1-9. ¿A quién representa el atalaya? ¿Cree usted que Jesús viene pronto? ¿Cumple usted con su deber de atalaya? Que todo el grupo ore ahora mismo especialmente por aquellos que todavía no tienen a quien dar un estudio bíblico. Oren por cada nombre para que el Señor les muestre su voluntad durante la semana. Sumen el total de estudios bíblicos del grupo y que el ministro laico lo anote ahora al final del informe.

III. MOMENTOS DE ORACIÓN (diez minutos)

A. Gratitud

B. Intercesión

C. Petición

IV. ESTUDIO BÍBLICO (30 minutos, leer los textos y responder a las preguntas)

A. S. Mateo 13:44-50. ¿Con cuál de las tres parábolas se identifica usted? ¿Por qué? ¿Ve diferencias entre una parábola y otra? ¿Por qué cree usted que Jesús utilizó ese día tres ejemplos distintos para representar el reino de los cielos?

B. S. Mateo 13:44. El hombre que encontró el tesoro, ¿lo estaba buscando? No; ¿Lo halló por casualidad? Sí. ¿Representaría este hombre a aquellos que llegan a la iglesia "por casualidad" o que al leer la Biblia descubren la verdad?

C. ¿Cuánto le costó el campo? ¿Qué significado tiene ésto?

D. Vers. 45, 46. ¿Cuál es la diferencia entre la parábola anterior y ésta? El mercader conocía ya otras perlas pero buscaba la mejor. ¿A quién representa el mercader? Al que conociendo la Biblia busca ansiosamente la verdad. ¿Cuánto le costó la perla preciosa? Todo. ¿Por qué?

E. Vers. 47, 48. ¿Cuál es la singularidad de esta parábola? Los peces, que representan a los seres humanos, no buscaban ni encontraron por casualidad la red. Fueron enganchados por ella.

CONCLUSIÓN

¿De qué manera fue usted atraído a Jesús? (1) ¿Lo encontró sin buscarlo? (2) ¿Lo buscaba y lo encontró? (3) Otros lo trajeron (Filipenses 3:7, 8). El Señor necesita usar hoy a este "grupo pequeño" como una red barredora para mostrar a otros la salvación en Jesús. ¿Le permitirán que él los utilice?

V. CIERRE:

A. Toma de decisiones

B. Invitación para la próxima semana

C. Oración de despedida

LA OFRENDA DE LA VIUDA

I. ALABANZA: CÁNTICOS ESPIRITUALES (diez minutos)

II. CONFRATERNIZACIÓN (diez minutos)

A. ¿Cuánto tiempo dedica a diario para ver TV? ¿Cree usted que la programación de la TV es inofensiva? ¿Cuánto tiempo dedican sus hijos cada día a la televisión? ¿Está conforme al respecto? ¿Cree usted que la televisión puede afectar negativamente nuestra relación con Dios? Si cree que debe haber un cambio en esto, que todo el grupo ore ahora mismo. ¿Está conforme con su vocabulario? ¿Hay palabras impropias que se le "escapan"?

B. Si las hubiera, que cada miembro del grupo relate su experiencia misionera de la semana. Sumen los estudios bíblicos. Que el ministro laico enliste, al final del informe, el total de los estudios dados y oren por ellos.

III. MOMENTOS DE ORACIÓN (diez minutos)

A. Gratitud

B. Intercesión

C. Petición

IV. ESTUDIO BÍBLICO (30 minutos, leer los textos y responder a las preguntas)

A. S. Marcos 12:41-43. Según su opinión, lo que la viuda hizo fue: correcto, un impulso, un acto emocional, algo irracional.

B. ¿Cree usted que lo que la viuda aportó modificó en algo el caudal del templo? ¿Y el suyo propio?

C. ¿Dio usted alguna vez todo lo que le quedaba de sustento para un fin noble, o para su iglesia? Relate su experiencia.

D. S. Lucas 21:1-4. ¿Dio usted alguna vez a Dios una ofrenda de lo que le sobraba?

E. Salmo 51:16, 17. ¿No cree usted que su acto de ofrendar es una consecuencia de su relación con Dios? La viuda dio "todo" lo que tenía. ¿Qué encuentra en común con el estudio bíblico de la semana pasada?

F. La viuda no vino al templo a quejarse por su pobreza, viudez, desamparo, privaciones o necesidades. Vino a agradecer y a dar todo lo que tenía.

CONCLUSIÓN

Génesis 4:1-4. ¿Cree usted que Dios mira hoy con agrado su ofrenda? ¿Representa a Caín o a Abel? (S. Mateo 5:23, 24; 2 Corintios 9:7).

V. CIERRE:

A. Toma de decisiones

B. Invitación para la próxima semana

C. Oración de despedida

MENOSPRECIANDO EL LLAMADO DE JESÚS

I. ALABANZA: CÁNTICOS ESPIRITUALES (diez minutos)

II. CONFRATERNIZACIÓN (diez minutos)

    A. ¿Qué es para usted la felicidad? ¿Es feliz? Si no lo fuera, ¿cuál es la razón?

    B. Si usted tuviera una hora de tiempo libre, ¿en qué lo emplearía?: Estar con sus hijos, leer la Biblia, orar, mirar TV, escuchar música, caminar, llorar, dormir.

    C. ¿Tiene usted alguna persona que desea bautizarse? Si así fuera, dígaselo al ministro laico y que él coloque cada nombre en el lado posterior de la hoja del informe. Si su interesado no está decidido, ore con todo el grupo para que el Espíritu Santo produzca el milagro de la conversión. Oren intensamente.

III. MOMENTOS DE ORACIÓN (diez minutos)

    A. Gratitud

    B. Intercesión

    C. Petición

IV. ESTUDIO BÍBLICO (30 minutos, leer los textos y responder a las preguntas)

    A. Salmo 123:3, 4. ¿Se sintió usted menospreciado alguna vez por familiares, amigos, vecinos, hermanos, esposo/a, hijos, padres, Dios? (Por menosprecio entendemos "dar menor valor a una persona o cosa del que en realidad tiene").

    B. Job 19:13-19. Hubo hombres y mujeres bíblicos que fueron menospreciados. Mencione quiénes menospreciaban a Job. ¿Lo llevó esto a una rebelión contra Dios? (Isaías 53:3). Jesús también fue menospreciado. Mencione otros casos.

    C. S. Lucas 18:9-12. ¿Menospreció o menosprecia a alguna persona actualmente? ¿Tiene en su actitud hacia los demás más de fariseo o de publicano? (vers. 13). (Romanos 14:10; Proverbios 14:21.)

    D. Directa o indirectamente, ¿menosprecia usted los requerimientos divinos? ¿Vive a la altura de lo que conoce? o ¿hay cosas que sabe que debe hacer y no les da importancia?

    E. Santiago 4:17. ¿Ama a Jesús? ¿Lo ha aceptado como su Salvador? Israel pasó una dura experiencia al menospreciar a Dios. (Deuteronomio 32:15; 2 Crónicas 36:16; Proverbios 1:30, 31.)

CONCLUSIÓN

Si hoy descubre que estuvo dándole poca importancia a los llamados de Dios no desoiga más su voz, entréguese plenamente a Jesús ahora (2 Corintios 6:1, 2).

V. CIERRE:

    A. Toma de decisiones

    B. Invitación para la próxima semana

    C. Oración de despedida

EXCUSAS POR EL PECADO

I. ALABANZA: CÁNTICOS ESPIRITUALES (diez minutos)

II. CONFRATERNIZACIÓN (diez minutos)

    A. ¿Cuándo fue la última vez que vio aparecer su orgullo? ¿Lo pudo aplacar? Si es así, ¿cómo?

    B. ¿Le gustan las plantas? ¿Cuáles? ¿Por qué?

    C. ¿Por quién está orando para que acepte a Jesús? Llévele una tarjeta en esta semana expresándole su oración en su favor.

III. MOMENTOS DE ORACIÓN (diez minutos)

    A. Gratitud

    B. Intercesión

    C. Petición

IV. ESTUDIO BÍBLICO (30 minutos, leer los textos y responder a las preguntas)

    A. Proverbios 20:9. Eclesiastés 7:20. Piense en algún pecado cometido (no hace falta decirlo). ¿Qué hizo cuando se dio cuenta de él? ¿Le restó importancia? ¿Se autojustificó? ¿Se arrepintió de corazón? ¿Se arrepintió de boca para afuera? ¿Se enojó consigo mismo? ¿Pidió perdón? ¿Dejó pasar varios días sin pedirlo?

    B. Algunos personajes bíblicos se excusaron:

        1. Adán al comer de la fruta prohibida (Génesis 3:12).

        2. Aarón al hacer el becerro de oro (Éxodo 32:24).

        3. El rey Saúl al usurpar las funciones de sacerdote (1 Samuel 13:12). ¿Puede recordar algunos otros casos?

    C. ¿Podemos excusarnos ante Dios? ¿Por qué? (Romanos 1:19-25).

    D. En la Biblia encontramos por lo menos siete excusas por la negligencia al deber: (1) Incompetencia personal (Éxodo.3:11; 4:10). (2) Falta de posición social (Jueces 6:15). (3) Temor del perezoso (Proverbios 22:13). (4) Debilidad personal (Jeremías 1:6). (5) "Dureza del amo" (S. Mateo 25:24, 25). (6) No descubrir la necesidad (S. Mateo 25:44). (7) La presión de los negocios (S. Lucas 14:18-20).

    E. ¿Usó estas excusas alguna vez? (Proverbios 30:12; Jeremías 2:35).

CONCLUSIÓN

Haga desaparecer sus excusas (Filipenses 4:13; Hechos 1:8).

V. CIERRE:

    A. Toma de decisiones

    B. Invitación para la próxima semana

    C. Oración de despedida

LOS PACIFICADORES

I. ALABANZA: CÁNTICOS ESPIRITUALES (diez minutos)

II. CONFRATERNIZACIÓN (diez minutos)

A. ¿Cuáles son las cosas que más alteran sus nervios o le hacen reaccionar compulsivamente?

B. ¿Tiene usted dominio propio? ¿Perdió alguna vez los "estribos" y lamentó las consecuencias? Relate su vivencia.

C. ¿Conoce a alguna persona que padezca de este problema? Ore durante la semana por ese nombre. Dígale que está orando por él o ella. No lo olvide.

III. MOMENTOS DE ORACIÓN (diez minutos)

A. Gratitud

B. Intercesión

C. Petición

IV. ESTUDIO BÍBLICO (30 minutos, leer los textos y responder a las preguntas)

A. S. Mateo 5:9. ¿Qué significa para usted la expresión "pacificador"? Pacificador: Callado, tímido, indiferente o pacificador, que infunde tranquilidad, evita la agresión, cambia un ambiente hostil en placentero.

B. ¿Por qué cree usted que Jesús les dedica una bienaventuranza a los "pacificadores"?

C. ¿Qué quiso decir Jesús al expresar "ellos serán llamados hijos de Dios"? ¿Quiere decir esto que si usted no es un pacificador no es hijo de Dios?

D. Pregunta obvia: ¿Es usted un pacificador? ¿Dónde? En el hogar, ¿procura calmar y solucionar los problemas o "le hecha más leña al fuego?" En el trabajo, en la iglesia, en el colegio, en la universidad, etc.

E. Isaías 9:6. Una de las funciones de Cristo era ser pacificador.

F. Mencione momentos en los que Jesús actuó como un pacificador. (S. Juan 2:1-9; S. Mateo 18:1-5, 21; S. Marcos 9:33-37; S. Lucas 22:24-27.)

G. ¿No cree usted que hoy hacen falta más pacificadores? ¿Podría serlo usted? ¿Dónde? En la iglesia, en el hogar, en el trabajo, en la escuela, etc.

CONCLUSIÓN

S. Juan. 16:33. Sólo Jesús puede hacer de usted hoy un pacificador. Pídaselo y vívalo. Goce al ser llamado "hijo de Dios" (Salmo 29:11, 34:13, 14; Proverbios 16:32). Que el grupo memorice el pensamiento de Proverbios 17:14.

V. CIERRE:

A. Toma de decisiones

B. Invitación para la próxima semana

C. Oración de despedida

LOS POBRES EN ESPÍRITU

I. ALABANZA: CÁNTICOS ESPIRITUALES (diez minutos)

II. CONFRATERNIZACIÓN (diez minutos)

A. Según su opinión ¿cuál es la mejor manera de no caer en tentación? Después que todos hayan respondido piense en esto: ¿Practica usted lo que acaba de decir?

B. ¿Dedica usted más tiempo a las cosas de Dios o a las del mundo?

C. ¿Hay alguna persona que usted no desee que vaya al cielo? Diga simplemente Sí o No. Si su respuesta es "No", todas las personas con las que se relaciona (y por lo tanto usted quiere que se salven), ¿lo saben? Si así no fuera, ¿por qué no intenta esta semana comenzar a comunicárselo?

III. MOMENTOS DE ORACIÓN (diez minutos)

A. Gratitud

B. Intercesión

B. Petición

IV. ESTUDIO BÍBLICO (30 minutos, leer los textos y responder a las preguntas)

A. ¿Qué es para usted una persona "pobre de espíritu"? Humilde, tímida, depresiva, angustiada, solitaria, haragana, dormilona, necesitada de Jesús, otros.

B. ¿Es usted "pobre en espíritu"?

C. ¿Es bueno o malo ser "pobre en espíritu"? Jesús dijo: "de ellos es el reino de los cielos".

D. Mencione ejemplos bíblicos de personas "pobres en espíritu" que recibieron la promesa del reino de los cielos: S. Juan 4:9-26, la mujer samaritana; S. Juan 3:1-8, Nicodemo; S. Juan 8:3-11, la mujer adúltera; Zaqueo, S. Lucas 19:9; S. Lucas 6:20, los discípulos.

E. El "pobre en espíritu" es el que reconoce que no puede hacer nada por salvarse a sí mismo, y que necesita un Salvador. La pobreza no es anímica, es el reconocimiento de la propia indignidad espiritual para recibir el favor de Dios, y la confianza en recibir la gracia divina (Efesios 2:8; 1 Timoteo 1:12-17).

F. El "pobre en espíritu" contrasta con el que se cree rico espiritualmente, al cual Jesús no puede ayudar pues no pide el auxilio divino al sentirse autosuficiente. Dé ejemplos (Judas, Saúl, etc.). (Apocalipsis 3:17-21; S. Lucas 18:9-14.)

CONCLUSIÓN

Si usted es de los "pobres en espíritu" siéntase feliz, el reino de los cielos es suyo (Salmo 69:1-3, 29, 30, 55:22, 56:1-4, 12, 13).

V. CIERRE:

A. Toma de decisiones

B. Invitación para la próxima semana

C. Oración de despedida

ATENDIENDO AL NECESITADO

I. ALABANZA: CÁNTICOS ESPIRITUALES (diez minutos)

II. CONFRATERNIZACIÓN (diez minutos)

    A. ¿Cuándo fue la última vez que ayudó a un necesitado que golpeó a su puerta? ¿Cuántos minutos dedicó a atenderlo?

    B. ¿Dio alguna vez una limosna en la calle? Si no lo hizo, ¿cuál cree usted que sería la mejor forma de ayudar?

    C. Consiga volantes y llévelos en esta semana por donde vaya. Pídale a Dios la oportunidad para entregarlos. Cuente su experiencia en la próxima reunión del grupo.

III. MOMENTOS DE ORACIÓN (diez minutos)

    A. Gratitud

    B. Intercesión

    C. Petición

IV. ESTUDIO BÍBLICO (30 minutos, leer los textos y responder a las preguntas)

    A. Que cada uno lea un versículo de S. Mateo 25:31-46. ¿Da usted de comer o beber, recoge al forastero, da ropas al necesitado, visita al enfermo o al preso? Si no lo hace, ¿qué espera?

    B. ¿Hay necesitados con nosotros? Jesús dijo: "A los pobres siempre los tendréis con vosotros"(S. Juan 12:8). ¿Cuál es el pobre (físico, mental espiritual) más cercano a usted? ¿Qué está haciendo por ayudarlo?

    C. Santiago 1:27: Conteste: Verdadero o Falso (V ó F):

      ___Yo visito a los huérfanos y a las viudas (o a los necesitados en general).

      ___Conozco a huérfanos y viudas de mi barrio.

    Si su respuesta es: Verdadero, diga qué le gustaría hacer por ellos en estos días siguientes.

    D. Santiago 2:1-5, 9. Para ayudar a los demás genuinamente, no podemos hacer acepción de personas (pobre, rico, negro, blanco, santo, pecador). Si lo hacemos, pidámosle al Espíritu Santo que nos quite ese defecto.

CONCLUSIÓN

Gálatas 6:2, 10. La ley de Jesús se basa en el amor a Dios y al prójimo. Sigamos el ejemplo de Jesús.

V. CIERRE:

    A. Toma de decisiones

    B. Invitación para la próxima semana

    C. Oración de despedida

TRANSFORMADOS POR SU PALABRA

I. ALABANZA: CÁNTICOS ESPIRITUALES (diez minutos)

II. CONFRATERNIZACIÓN (diez minutos)

A. ¿Cuánto tiempo hace que conoce usted el mensaje de Dios mediante la Biblia?

B. ¿Cuánto tiempo hace que practica ese mensaje?

C. ¿A quién o a quiénes le entregó volantes en esta semana? Haga lo mismo en los días que siguen, pero con sus vecinos.

III. MOMENTOS DE ORACIÓN (diez minutos)

A. Gratitud

B. Intercesión

C. Petición

IV. ESTUDIO BÍBLICO (30 minutos, leer los textos y responder a las preguntas)

A. Leer Romanos 15:4. ¿Alguna vez la lectura de la Biblia le dio paciencia, consolación o esperanza? Cuente alguna experiencia que recuerda sobre esto.

B. ¿Cree usted que tiene toda la paciencia que la lectura de la Biblia le puede dar? ¿Cómo puede esa lectura aumentar su paciencia?

C. Leer 2 Timoteo 3:15, 17. La Biblia es inspirada por Dios para conducirnos a fin de que seamos perfectos en toda buena obra. Además de la paciencia, ¿en qué otras áreas de su personalidad le ayuda la Biblia? (Que el ministro laico escriba esas áreas en su papel y las repase cuando todos hayan respondido.)

D. Leer Apocalipsis 1:3. ¿Cuándo nos hace la Biblia bienaventurados? ¿Cuánto tiempo diario dedica usted a la meditación de la Palabra de Dios? Propónganse en el grupo los minutos que les gustaría estudiar la Biblia en forma diaria y personal. Lleguen a un acuerdo y pónganlo en práctica, cada uno en su casa, esta semana

CONCLUSIÓN

Leer 2 Pedro 1:4. Al cumplirse en nosotros las promesas de Dios, llegamos a ser participantes de su naturaleza. Por medio de su Palabra podemos ser transformados a su semejanza.

V. CIERRE:

A. Toma de decisiones

B. Invitación para la próxima semana

C. Oración de despedida

LA ABNEGACIÓN

I. ALABANZA: CÁNTICOS ESPIRITUALES (diez minutos)

II. CONFRATERNIZACIÓN (diez minutos)

    A. ¿Qué es para usted la abnegación? ¿Es usted una persona abnegada?

    B. ¿En qué momentos del día o de la semana está más dispuesto a aceptar la voluntad de Dios respecto a sus problemas?

    C. ¿Conoce a las familias o personas que viven cerca de su casa? Si es así. ¿Les ha hablado alguna vez de su fe? Si no, ore y visítelos esta semana, con el objeto de invitarlos a su grupo.

III. MOMENTOS DE ORACIÓN (diez minutos)

    A. Gratitud

    B. Intercesión

    C. Petición

IV. ESTUDIO BÍBLICO (30 minutos, leer los textos y responder a las preguntas)

    A. Consigan un diccionario y busquen la definición de "abnegación".

    B. Leer S. Mateo 16:24. Esa es la definición bíblica de abnegación. ¿Qué es "negarse"? ¿Qué significa la expresión "cruz"? ¿Cuál es la que usted tiene que llevar? (Si no lo puede decir, dígaselo a Dios en su oración final.)

    C. Leer S. Lucas 14:26, 27. ¿Cómo entiende usted la palabra "aborrecerse"? Lea el mismo texto en otras versiones bíblicas.

    D. Leer S. Lucas 14:33. El requisito para ser discípulo de Cristo es renunciar a todo. ¿A qué cosa le cuesta renunciar? Oren unos por otros para que el Espíritu Santo les dé la victoria en la lucha por rendirse incondicionalmente a Jesús.

CONCLUSIÓN

Leer S. Lucas 18:29, 30. ¿Dejó usted algunas cosas por amor a Cristo? ¿Qué recompensa recibió? (Filipenses 3:8). La vida eterna le espera. Póngase totalmente del lado de Jesús.

V. CIERRE:

    A. Toma de decisiones

    B. Invitación para la próxima semana

    C. Oración de despedida

LA TRISTEZA

I. ALABANZA: CÁNTICOS ESPIRITUALES (diez minutos)

II. CONFRATERNIZACIÓN (diez minutos)

    A. ¿Qué animal le gustaría tener? ¿Por qué?

    B. ¿Algún animal, ave o insecto, le dejó una lección?

    C. Proverbios 27:23, 24. ¿Quién o quiénes faltaron a la iglesia el sábado pasado? Cada persona del grupo visite a uno de los que faltó y haga una oración con él/ella.

III. MOMENTOS DE ORACIÓN (diez minutos)

    A. Gratitud

    B. Intercesión

    C. Petición

IV. ESTUDIO BÍBLICO (30 minutos, leer los textos y responder a las preguntas)

    A. Leer S. Mateo 26:38. ¿Cuándo fue la última vez que estuvo triste? Si puede, diga el porqué y cómo lo solucionó.

    B. Leer Jeremías 45:2-5. Generalmente la tristeza es el resultado de un anhelo no alcanzado. ¿Cuál es su anhelo más grande aparte de la salvación? ¿Está ese anhelo de acuerdo con la voluntad de Dios? (S. Marcos 10:21, 22).

    C. Leer Eclesiastés 7:3; 2 Corintios 7:10. ¿Es necesaria la tristeza que resulta de un pecado cometido? ¿Por qué?

    D. Génesis 40:6, 7; S. Lucas 24:17. ¿Qué hace usted cuando ve a alguien triste? ¿Lo aturde con sus palabras, le cuenta sus propias tristezas, le dice cuán linda es la vida, lo escucha, o no le hace caso? José y Jesús se preocuparon por los tristes, los escucharon, y les respondieron dirigidos por el Espíritu Santo y las Escrituras.

CONCLUSIÓN

S. Juan 16:20, 22-24, 33. El gozo y la paz son frutos del Espíritu Santo y dones de Jesús. "Pedid, y recibiréis, para que vuestro gozo sea cumplido".

V. CIERRE:

    A. Toma de decisiones

    B. Invitación para la próxima semana

    C. Oración de despedida

PLENITUD DE GOZO

I. ALABANZA: CÁNTICOS ESPIRITUALES (diez minutos)

II. CONFRATERNIZACIÓN (diez minutos)

A. ¿Cuál es la persona más alegre y feliz que usted conoce? ¿Cuál cree usted que es la razón de su felicidad y alegría?

B. Cuente cuál fue la mayor alegría que tuvo durante el presente mes.

C. ¿Conoce su grupo a alguna persona que esté angustiada, desanimada, sin gozo ni felicidad? Si es así, llévenle de parte del grupo una tarjeta hecha y firmada por ustedes, que contenga promesas bíblicas, y una invitación para asistir a la reunión (S. Mateo 7:12).

III. MOMENTOS DE ORACIÓN (diez minutos)

A. Gratitud

B. Intercesión

C. Petición

IV. ESTUDIO BÍBLICO (30 minutos, leer los textos y responder a las preguntas)

A. Leer Salmo 16:11; Jeremías 15:16. Sinceramente, ¿le produce "plenitud de gozo" estar en la presencia de Dios cada día al meditar en él?, ¿o le gustaría tener un gozo más pleno?

B. S. Lucas 10:20, Isaías 61:10. ¿Cree usted que su nombre está escrito en el libro de la vida? Si lo cree, ¿le produce gozo, y le da gracias a Dios porque usted no es como los del mundo? Si no lo cree, lea S. Juan 14:23.

C. Habacuc 3:17, 18. ¿Tuvo alguna vez gozo en la necesidad? ¿De qué forma Dios le mostró su bondad?

D. Salmo 126:5, 6; S. Lucas 10:17; S. Juan 4:36. El cristiano experimenta las mayores alegrías cuando alaba al Señor y trabaja por amor en favor del prójimo. ¿Cuál de esas dos formas de alegría experimentó más? Si quiere aumentar su gozo, practique la recomendación de San Juan 16:24.

CONCLUSIÓN

S. Marcos 11:24. Pidan siempre gozo espiritual, y el Señor cumplirá su promesa, y el mundo verá cristianos de rostro sonriente.

V. CIERRE:

A. Toma de decisiones

B. Invitación para la próxima semana

C. Oración de despedida

LA UNIDAD

I. ALABANZA: CÁNTICOS ESPIRITUALES (diez minutos)

II. CONFRATERNIZACIÓN (diez minutos)

A. ¿Quién es el familiar a quién más quiere? ¿Por qué?

B. ¿A qué miembro de iglesia visita más?

C. ¿Le gustaría que los miembros de iglesia que nunca lo visitaron, lo hagan? Lea S. Mateo 7:12. Visite en esta semana a un miembro de iglesia que nunca ha visitado.

III. MOMENTOS DE ORACIÓN (diez minutos)

A. Gratitud

B. Intercesión

C. Petición

IV. ESTUDIO BÍBLICO (30 minutos, leer los textos y responder a las preguntas)

A. 1 Corintios 1:10. Mencione una idea que puesta en práctica acreciente la unidad de la iglesia.

B. Proverbios 17:19; 2 Corintios 13:11. Cuando hay una discusión en su hogar, ¿cómo trata usted de solucionarla? ¿Con gritos?, ¿no diciendo nada?, ¿con acusaciones del pasado?, ¿con oración mental?, ¿con serenidad?, ¿o usando el fruto del Espíritu Santo?

C. Salmo 119:63; S. Mateo 10:34-36. ¿Sacrifica usted su unidad con Cristo por su unidad con su familia? ¿Le avergüenza orar, guardar el sábado o leer su Biblia cuando en su casa hay alguien que no es de su fe?

D. S. Mateo 5:44, 45. Dios hace salir su sol sobre malos y buenos. Todos necesitan ver la luz espiritual. Pídale al Señor que le ayude para nunca sacrificar su unidad con él por causa de otros. Será un gran bien para ellos también.

CONCLUSIÓN

Romanos 12:5; Isaías 11:13. El remanente de Dios es un cuerpo con Cristo. ¿Está usted unido con Cristo y con el remanente "en una misma mente y en un mismo parecer" (1 Corintios 1:10)? Ore y actúe para que eso llegue a ser una realidad.

V. CIERRE:

A. Toma de decisiones

B. Invitación para la próxima semana

C. Oración de despedida

EL SACRIFICIO DE CRISTO POR USTED

I. ALABANZA: CÁNTICOS ESPIRITUALES (diez minutos)

II. CONFRATERNIZACIÓN (diez minutos)

    A. ¿Qué momento de la vida de Jesús en la tierra le hace amarlo y adorarlo más?

    B. ¿A qué persona admira de las que rodearon a Jesús? ¿Por qué?

    C. ¿A quién podría hablarle de la salvación en Jesús durante esta semana? Mencione su nombre. Que el líder, el asistente o el anfitrión anote cada nombre formando una lista. Oren por ellos, y que cada integrante del grupo cuente su experiencia la semana próxima.

III. MOMENTOS DE ORACIÓN (diez minutos)

    A. Gratitud

    B. Intercesión

    C. Petición

IV. ESTUDIO BÍBLICO (30 minutos, leer los textos y responder a las preguntas)

    A. Leer S. Marcos 15:34; Salmo 22:1 7-19. Nada conmovió tanto los corazones en estos milenios como el amor de Dios expresado en la cruz del Calvario. Lea un versículo que muestre la grandeza del amor de Jesús en su crucifixión.

    B. Leer Salmo 22:26-31. Según este pasaje, ¿qué promesas vendrían como resultado de la victoria de Jesús en la cruz? Cada uno diga una diferente.

    C. Leer 2 Corintios 8:9; 1 Pedro 3:18; 2:21. ¿Está usted dispuesto a seguir el ejemplo de Jesús en el amor a los demás? Exprese una idea que ayude a otra persona a conocer a Jesús. Practíquela.

    D. Leer 2 Corintios 5:14, 15. ¿Con qué objetivo murió Jesús por usted? Viva para Jesús. Hagan planes en el grupo para testificar de su amor en los días que el cristianismo llama: "Semana Santa". Infórmenlo por escrito detrás del informe semanal.

CONCLUSIÓN

Leer Hechos 26:17, 18. Jesús bendice a los que le sirven.

V. CIERRE:

    A. Toma de decisiones

    B. Invitación para la próxima semana

    C. Oración de despedida

LA BENDICIÓN

I. ALABANZA: CÁNTICOS ESPIRITUALES (diez minutos)

II. CONFRATERNIZACIÓN (diez minutos)

A. ¿Además de la salud, el alimento y el vestido, ¿cuál ha sido el último regalo o bendición que Dios le ha dado?

B. Si Dios le dijera que le pida un regalo especial, ¿qué le pediría?

C. Cuente cómo le fue al visitar a la persona que hizo anotar en la lista de interesados. En esta semana ore e invítela al grupo.

III. MOMENTOS DE ORACIÓN (diez minutos)

A. Gratitud

B. Intercesión

C. Petición

IV. ESTUDIO BÍBLICO (30 minutos, leer los textos y responder a las preguntas)

A. Leer Proverbios 10:22. ¿Qué significa la palabra bendición? ¿Es una bendición la enfermedad si por ella volvemos a Dios?

B. Leer Isaías 19:1-10, 21-25. Según el versículo 4, Dios entrega a Egipto en manos de los hombres y de la naturaleza sin el cuidado de él. Les muestra de esa forma que ellos no pueden hacer nada sin él, y que todo lo que tienen se debe a él. ¿Cuál es el objetivo de esta estrategia de Dios? (Ver Isaías 19:25.)

C. Leer S. Mateo 25:15. Los talentos son bendiciones que nos son dadas para exaltar la gloria de Dios y para nuestra felicidad. ¿Cuál es la capacidad que debemos tener para recibir más talentos? Compare San Lucas 11:13 con Hechos 5:32. Las bendiciones de Dios aumentan en nuestra vida en la medida que las usamos para su honra y gloria.

D. ¿Cuál es la mayor bendición espiritual que usted anhela de Dios? Si usted teme a Dios, esta bendición es para usted. (Ver Salmo 25:11-13.)

CONCLUSIÓN

Salmo 25:8-11. Dios ofrece comunión íntima.

V. CIERRE:

A. Toma de decisiones

B. Invitación para la próxima semana

C. Oración de despedida

LA ENFERMEDAD II

I. ALABANZA: CÁNTICOS ESPIRITUALES (diez minutos)

II. CONFRATERNIZACIÓN (diez minutos)

A. ¿Qué es lo que usted más necesita en este momento?

B. ¿A qué persona ayudó en esta semana?

C. Leer San Lucas 24:45. Jesús necesita hombres y mujeres que, dirigidos por él, hagan comprender las Escrituras. Busque en esta semana la oportunidad de estudiar la Biblia con quien nunca lo hizo.

III. MOMENTOS DE ORACIÓN (diez minutos)

A. Gratitud

B. Intercesión

C. Petición

IV. ESTUDIO BÍBLICO (30 minutos, leer los textos y responder a las preguntas)

A. Leer S. Juan 5:5-9. Jesús tiene poder sobre toda enfermedad. ¿Tiene usted alguna dolencia física de la que anhela curarse? Lea y practique la recomendación de Santiago 5:15.

B. Leer Salmo 86:14. ¿Hay alguien con quien usted está peleado, disgustado u ofendido? (Diga sí o no solamente). ¿Hay alguien que está peleado, disgustado u ofendido con usted? Si cree que con Dios puede solucionar su problema, lea y practique San Mateo 18:15-17, 21, 22.

C. Leer S. Lucas 5:31, 32. Si usted se considera pecador, y clama a Jesús, él viene a su vida para que su conversión sea completa. Lea Judas 24 y ore a Dios con fervor que eso sea una realidad en usted.

D. Leer S. Mateo 11:28-30. ¿Tiene alguna angustia que no le deja en paz? Cuente su dolor. Aférrese a la persona de Jesús, y vaya a él para encontrar descanso.

CONCLUSIÓN

Leer Isaías 66:13; S. Juan 16:33. En Jesús siempre podemos tener felicidad.

V. CIERRE:

A. Toma de decisiones

B. Invitación para la próxima semana

C. Oración de despedida

LA MUERTE

I. ALABANZA: CÁNTICOS ESPIRITUALES (diez minutos)

II. CONFRATERNIZACIÓN (diez minutos)

A. ¿Cuántos años le gustaría vivir?

B. ¿A qué enfermedad es a la que más teme? En caso de enfrentar la muerte, ¿qué persona quisiera que esté a su lado?

C. ¿Hay alguien que usted conozca que tiene terror o temor a la muerte? ¿Tiene usted algo diferente que contarle con respecto a esto? ¿Por qué no lo hace durante la semana? Se lo agradecerá.

III. MOMENTOS DE ORACIÓN (diez minutos)

A. Gratitud

B. Intercesión

C. Petición

IV. ESTUDIO BÍBLICO (30 minutos, leer los textos y responder a las preguntas)

A. Apocalipsis 14:13. ¿Cree usted que una persona que está por morir puede sentirse bienaventurada? ¿Qué significa para usted la expresión "los muertos que mueren en el Señor"?

B. ¿Considera usted que el versículo mencionado significa que el cristiano no tiene deseos de vivir, o representa más bien una actitud positiva si nos toca enfrentar la muerte?

C. Filipenses 1:21-26. ¿Sentía el apóstol Pablo temor a la muerte? Según estos versículos, ¿cuál fue la razón de vivir de este valeroso hombre de Dios? ¿Cree usted que es correcto pensar como Pablo?

D. 2 Timoteo 4:6-8; Hechos 20:24. El secreto de Pablo para enfrentar la muerte con confianza y felicidad fue que tenía la seguridad de que el Juez justo le daría la corona de la vida, por haber vivido conforme a su voluntad. ¿Puede usted hoy afirmar lo mismo? Si así no fuere. ¿No será que por eso tememos a la muerte?

E. ¿Qué reflexión le merecen estas promesas? (S. Juan 5:21, 28; 11:25; S. Mateo 10:39; S. Marcos 8:35).

CONCLUSIÓN

1 Juan 5:12; S. Juan 6:40, 47. Que Cristo Jesús pueda habitar en plenitud en su corazón, para que el cerrar los ojos a la muerte, no sea razón de tristeza sino de felicidad porque ya tenemos vida eterna en Jesús (1 Corintios 15:51-54; Apocalipsis 21:4).

V. CIERRE:

A. Toma de decisiones

B. Invitación para la próxima semana

C. Oración de despedida

LOS IMPULSOS

I. ALABANZA: CÁNTICOS ESPIRITUALES (diez minutos)

II. CONFRATERNIZACIÓN (diez minutos)

A. ¿Cuándo fue la última vez que agredió verbal o físicamente a alguien? Dicho en otras palabras, ¿cuál fue la última vez que se enojó tanto que perdió el dominio propio?

B. ¿Dónde ocurrió? En su casa, en su trabajo, en su iglesia, en la calle, practicando deportes. Relate lo sucedido. ¿Cómo se sintió después? Feliz, aliviado (se sacó las "ganas"), triste, abochornado, deprimido, con deseos de llorar, con la seguridad de que "el otro se lo merecía".

III. MOMENTOS DE ORACIÓN (diez minutos)

A. Gratitud

B. Intercesión

C. Petición

IV. ESTUDIO BÍBLICO (30 minutos, leer los textos y responder a las preguntas)

A. Lea Números 20:1-11. ¿Cree usted que el enojo de Moisés al golpear la piedra fue: Justificado, razonable, pecaminoso, desconfianza del poder de Dios, una manifestación de orgullo, cansancio del pueblo, cansancio de servir a Dios.

B. Números 20:12. Según este versículo Dios no aprobó lo que Moisés hizo. ¿Por qué entonces salió agua de la roca?

C. Mencione a qué nos lleva la ira:

1. Génesis 27:41. A hablar de más.

2. Génesis 4:8. A matar.

3. Proverbios 29:11; Job 5:2. A ser necios.

4. 1 Samuel 17:28. A juzgar.

D. Éxodo 32:19; S. Juan 2:13-17; Salmo 7:11; Efesios 4:26. ¿Cree usted que hay una ira positiva o buena? La Biblia habla acerca de la ira de Dios en Romanos 1:18 y admite el enojo hacia aquellos que distorsionan la realidad del amor de Dios.

E. Gálatas 5:19, 20. Uno de los frutos de la carne es la ira. Por lo tanto si usted es rápido en airarse, ¿quién cree que está controlando su vida?

CONCLUSIÓN

Santiago 1:19, 20; Proverbios 16:32. ¿No cree usted que si somete a Jesús sus impulsos y le pide a él que controle sus reacciones evitaría muchas dificultades? Ore intensamente durante esta semana por esto, y verá maravillosos resultados.

V. CIERRE:

A. Toma de decisiones

B. Invitación para la próxima semana

C. Oración de despedida

HOGARES DIVIDIDOS

I. ALABANZA: CÁNTICOS ESPIRITUALES (diez minutos)

II. CONFRATERNIZACIÓN (diez minutos)

A. ¿Cuál es la habitación o parte de la casa que más le gusta? ¿Por qué? ¿Cuál es la que menos le agrada?

B. ¿Dónde cree usted que una persona debería pasar la mayor parte de su tiempo? En el trabajo, su hogar, la iglesia, paseando, etc. ¿Dónde es usted más feliz?

C. El ministro de la iglesia debe preguntar a cada miembro del hogar-iglesia cuántos estudios bíblicos está dando y anotar los nombres en la parte inferior del informe. Por estos nombres se realizará una cadena de oración.

III. MOMENTOS DE ORACIÓN (diez minutos)

A. Gratitud

B. Intercesión

C. Petición

IV. ESTUDIO BÍBLICO (30 minutos, leer los textos y responder a las preguntas)

A. S. Marcos 3:25. ¿Qué factores cree usted que intervienen para que una casa esté dividida? Elementos del carácter, religiosos, políticos, emocionales, económicos, culturales, sexuales.

B. ¿Qué atmósfera se vive hoy en su hogar? Nerviosismo, tensión, agresión, calma, paz, alegría, armonía. ¿Si tuviera que calificar su hogar del 1 al 10. ¿Qué numeración le colocaría? (Si hay familias en la reunión que cada una lo haga en forma individual.) ¿Por qué?

C. 1 Corintios 7:12-16. ¿Cree usted que el tener esposo, esposa, hijos o familiares incrédulos, o que no pertenezcan a su misma fe religiosa, es justificativo para que en el hogar haya disensiones? ¿No cree usted que por esa misma razón el creyente debe velar en oración para ejercer una influencia positiva en la santificación del hogar?

D. Mencione qué aspectos cree que deben mejorar en su hogar. (Si hubiera cosas íntimas, déjelas entre usted y Dios, pero ore diariamente por ellas.)

E. Hechos 10:1, 2. ¿Qué cosas practicaba Cornelio que podrían mejorar su hogar si las imitara?

F. Proverbios 11:29. Consecuencias para el que turba el hogar.

CONCLUSIÓN

S. Mateo 12:25. ¿Quiere usted que su hogar permanezca? Permítale a Jesús que una cada una de sus partes (Salmo 127:1; Josué 24:15). Para meditar, lea Proverbios 17:1; 14:1; 24:3.

V. CIERRE:

A. Toma de decisiones

B. Invitación para la próxima semana

C. Oración de despedida

"SI NO FUEREIS COMO NIÑOS"

I. ALABANZA: CÁNTICOS ESPIRITUALES (diez minutos)

II. CONFRATERNIZACIÓN (diez minutos)

A. Cuente en pocas palabras cómo fue su vida de niño.

B. ¿Qué niño le atrajo más por su forma de ser? Describa su carácter (del niño).

III. MOMENTOS DE ORACIÓN (diez minutos)

A. Gratitud

B. Intercesión

C. Petición

IV. ESTUDIO BÍBLICO (30 minutos, leer los textos y responder a las preguntas)

A. ¿En qué aspectos de nuestra vida espiritual no debemos actuar como niños? Búsquelos en los siguientes textos (y anótelos).

1 Corintios 3:1; 1 Corintios 13:11; 1 Corintios 14:20; Efesios 4:14; Hebreos 5:13.

¿Se ha encontrado alguna vez a usted mismo actuando como un niño espiritual en términos de estas características? Relate cómo se dio cuenta y cómo lo superó o quiere superarlo.

B. Lea San Mateo 19:13-15. ¿Cuál es la causa de esa promesa especial para los niños?

C. Lea San Mateo 18:1-3. Jesús nos dice que uno de los requisitos esenciales para entrar en el reino de los cielos es ser como niños. Según su opinión,. ¿qué características de la vida de un niño debemos imitar? (S. Mateo 18:4; 1 Pedro 2:2).

D. Como hemos visto, la niñez tiene dos matices: lo positivo y lo negativo. Pero Jesús nos mostró con su vida qué clase de niños espirituales quiere que seamos. Lea San Lucas 2:49-52 y obtenga de allí sus conclusiones.

CONCLUSIÓN

Pidamos a Jesús ser genuinos niños espirituales.

V. CIERRE:

A. Toma de decisiones

B. Invitación para la próxima semana

C. Oración de despedida

EL NUEVO NACIMIENTO

I. ALABANZA: CÁNTICOS ESPIRITUALES (diez minutos)

II. CONFRATERNIZACIÓN (diez minutos)

A. Si pudiera llevar una cosa material al cielo. ¿Cuál escogería? La casa, el dinero, el auto, la comida, la ropa, la TV, el perro.

B. ¿La ausencia de qué persona (de la vida actual) haría para usted al cielo poco atractivo?

C. ¿Existe alguna persona que usted sabe que no estaría preparada si Jesús regresara hoy y cuya salvación usted desea? En la semana visítela y dígaselo.

III. MOMENTOS DE ORACIÓN (diez minutos)

A. Gratitud

B. Intercesión

C. Petición

IV. ESTUDIO BÍBLICO (30 minutos, leer los textos y responder a las preguntas)

A. S. Juan 3:3. ¿Qué significa para usted nacer de nuevo? Es la condición para ir al cielo. Si es que usted nació de nuevo, relate su experiencia.

B. El hecho de saber que para entrar en el reino de los cielos hay que nacer de nuevo produce en usted: Ansiedad, alegría, tristeza, preocupación, paz, confianza, temor, nada.

C. La afirmación de Jesús "el reino de Dios está entre vosotros". ¿Cómo la entiende? La persona que ha nacido de nuevo ya goza en este mundo del reino de Cristo pues él es quien gobierna su vida.

D. El dominio de Cristo en mi corazón no se logra por simple inercia sino que hay luchas diarias que podrán ser victorias por medio de Cristo Jesús.

E. 1 Corintios 6:9-11; Gálatas 5:21; Efesios 5:5. Estas son algunas características de personas que no han nacido de nuevo y por lo tanto no gozan del reino de Jesús ahora ni podrán hacerlo en el cielo cuando él regrese, a menos que se arrepientan. ¿Hay todavía en su carácter algunos de estos rasgos? Piénselo, no pierda la oportunidad de gozar hoy del reino.

F. Leer S. Mateo 21:43. ¿Cuáles son los frutos del reino?

CONCLUSIÓN

Lea San Mateo 7:21; 25:34 y San Lucas 12:31-32. No se prive de gozar del reino de Cristo hoy por medio de la entrega plena de su corazón a él; se asegurará así de gozar pronto del reino de los cielos (Hebreos 4:6, 7). Hoy es su oportunidad, aprovéchela.

V. CIERRE:

A. Toma de decisiones

B. Invitación para la próxima semana

C. Oración de despedida

EL PECADO

I. ALABANZA: CÁNTICOS ESPIRITUÁLES (diez minutos)

II. CONFRATERNIZACIÓN (diez minutos)

A. De la ropa que usted posee, ¿cuál es la que más le gusta y por lo tanto se siente más cómodo/a al usarla?: Ropa de trabajo/ para dormir/para salir/ ropa deportiva/ropa de fiesta/ para estar en casa, etc.

B. ¿Hay algo que usted cree que nunca llegaría a perdonar?: deshonestidad/ mentira/ ingratitud, infidelidad/ malos tratos/ crítica/ vicios (alcohol, droga, etc.).

C. Sin duda que conoce a alguien que está sufriendo de angustia o sentimientos de culpa. Al finalizar esta lección sabrá cómo ayudarle.

III. MOMENTOS DE ORACIÓN (diez minutos)

A. Gratitud

B. Intercesión

C. Petición

IV. ESTUDIO BÍBLICO (30 minutos, leer los textos y responder a las preguntas)

A. ¿Cree usted que es pecador, pecador arrepentido, pecador empedernido, ex pecador, pecador salvado, santo, nada?

B. Según su opinión, ¿quién necesita de Jesús, la persona que no peca o el pecador? (S. Lucas 5:31, 32; 15:1-7). Note que Jesús llama al pecador no para que siga pecando sino para que se arrepienta.

C. Piense: ¿Cuál fue la última vez que pecó? (Lea 1 Juan 3:4; S. Mateo 5:17-20.) Puede leer los mandamientos (Éxodo 20:1-17). Jesús clarificó esto (S. Mateo 5:21-24, 27-30, 38-48).

D. ¿Cómo se siente una persona después de pecar? Si lo desea, relate su experiencia. Lea lo que sintió David en 2 Samuel 24:10-14.

E. Es un común denominador el sentimiento de angustia ante el pecado. ¿Es esto malo? (2 Samuel 22:4-7; Jonás 2:1, 2; Oseas 5:15.)

CONCLUSIÓN

S. Mateo 11:28-30. "Hallaréis descanso para vuestras almas". La única forma de recibir ese descanso es escuchar la voz de Jesús decir: "tus pecados te son perdonados" (S. Mateo 9:2, Salmo 50:14, 15). Jesús nos libra hoy de toda angustia. Tenemos, por lo tanto, algo maravilloso que contar (Salmo 86:1-7; 91:14-16).

V. CIERRE:

A. Toma de decisiones

B. Invitación para la próxima semana

C. Oración de despedida

LA ORACIÓN INTENSA

I. ALABANZA: CÁNTICOS ESPIRITUALES (diez minutos)

II. CONFRATERNIZACIÓN (diez minutos)

A. ¿Qué cosa material desearía adquirir? Tal vez no sea sólo un deseo sino una necesidad que se ve relegada vez tras vez. ¿Cree usted que Dios quiere darle eso que necesita? Si así fuera, ¿por qué no lo recibe? Esta lección le ayudará.

B. ¿Qué bendición espiritual es la que más anhela recibir?

C. Sin duda usted conoce a alguien que es escéptico con respecto a pedir cosas a Dios. ¿Cómo cree que se le podría ayudar? Hágalo.

III. MOMENTOS DE ORACIÓN (diez minutos)

A. Gratitud

B. Intercesión

C. Petición

IV. ESTUDIO BÍBLICO (30 minutos, leer los textos y responder a las preguntas)

A. Filipenses 4: 6; 1 Timoteo 2:1. ¿Cree usted que las expresiones "oración, ruego, súplica, petición, oración intensa" se refieren a lo mismo? ¿De qué forma se comunica usted con Dios?

B. S. Lucas 6:12, 13. Ante la necesidad de conocer la voluntad de Dios Jesús pasó la noche orando. Ha sido alguna vez su necesidad de conocer la voluntad de Dios tan intensa que haya pasado la noche en oración? Relate su experiencia.

C. S. Lucas 22:39-45. En el momento de la redención del hombre Jesús "oraba intensamente".

D. ¿Cuánto tiempo dedica diariamente a la oración? ¿No será que a nuestras peticiones les falta el ruego y la súplica del que necesita intensamente una respuesta?

E. 1 Samuel 1:9-12. ¿Qué cosas resaltan en estos versículos? Menciónelas. Ana oró largamente, lloró, pidió algo específico (un hijo varón). ¿No cree que Ana es un ejemplo digno de imitar? ¿Cree usted que dedica el tiempo suficiente para conocer la voluntad de Dios? Si cree que debiera dedicar más tiempo a la oración, ¿qué impide que así sea? Coméntelo. ¿Cree realmente que esas son razones que puede presentar ante Dios?

F. S. Marcos 1:40; 5:22, 23; 7:26, 32. Ante una necesidad imperiosa estos hombres y mujeres se presentaron ante Jesús no con una petición casual, sino con un ruego desesperado. En cada caso la respuesta fue positiva.

CONCLUSIÓN

Salmo 55:1, 2; 37:3; 66:16-20; 1 Juan 5:15. Practique la oración intensa y compruebe sus maravillosos resultados.

V. CIERRE:

A. Toma de decisiones

B. Invitación para la próxima semana

C. Oración de despedida

EL AYUNO

I. ALABANZA: CÁNTICOS ESPIRITUALES (diez minutos)

II. CONFRATERNIZACIÓN (diez minutos)

A. ¿Cuándo fue la última vez que invitó a alguna persona a comer a su casa? ¿Invitó a algún forastero a dormir? ¿Le agrada o le molesta recibir visitas?

B. Describa alguna ocasión en la cual usted se sintió bienvenido y en casa cuando fue hospedado. ¿Qué factores contribuyeron para que se sintiera cómodo?: El orden y la prolijidad de la casa/ la comida/ el cariño con el que lo trataron/ la comodidad/ la paz.

C. Sin duda llegará a su casa una persona necesitada material o espiritualmente, esta lección le ayudará a saber qué hacer. Hágalo.

III. MOMENTOS DE ORACIÓN (diez minutos)

A. Gratitud

B. Intercesión

C. Petición

IV. ESTUDIO BÍBLICO (30 minutos, leer los textos y responder a las preguntas)

A. Isaías 58:6, 7, 10-12. ¿Cuál es el verdadero ayuno que agrada a Dios? ¿Le parece correcta esta delaración de Isaías?

B. La Biblia presenta numerosos ejemplos de hospitalidad. Estudie alguno de ellos y observe qué elementos describen la calidad de la hospitalidad que estas personas manifestaron.

(1) Abrahán y Sara (Génesis 18:1-10).

(2) Rebeca y Eliezer (Génesis 24:14-33).

(3) Rahab y los espías (Josué 2:1-21).

(4) Abigail y Nabal (1 Samuel 25:1-35).

(5) Elías y la viuda de Sarepta (1 Reyes 17:8-24).

(6) La mujer sunamita (2 Reyes 4: 8-37).

C. ¿Notó usted que en todos los casos mencionados hubo grandes bendiciones para quienes ejercieron la hospitalidad? (S. Mateo 10:42). Se presenta la recompensa futura.

D. ¿Se ha sentido usted en alguna oportunidad beneficiado espiritualmente por la influencia de alguien que lo visitó?

CONCLUSIÓN

Lea San Mateo 25: 34-40. ¿No le gustaría escuchar estas palabras de Jesús? Practique la hospitalidad cristiana a partir de hoy, y será el más beneficiado.

V. CIERRE:

A. Toma de decisiones

B. Invitación para la próxima semana

C. Oración de despedida

LA AMISTAD

I. ALABANZA: CÁNTICOS ESPIRITUALES (diez minutos)

II. CONFRATERNIZACIÓN (diez minutos)

A. Piense en su mejor amigo/a. ¿Qué es lo que más le gusta de él/ella?

B. ¿Recuerda algún momento difícil de su vida en el que un amigo lo ayudó a salir de un problema? Relate su experiencia.

C. Mucha gente sufre hoy de soledad. En esta semana ayude a alguien a no sentirse solo. Muéstrese amigo.

III. MOMENTOS DE ORACIÓN (diez minutos)

A. Gratitud

B. Intercesión

C. Petición

IV. ESTUDIO BÍBLICO (30 minutos, leer los textos y responder a las preguntas)

A. Proverbios 17:17. ¿Con quién compara Salomón a un buen amigo? Goza usted de una amistad tan profunda como la que se describe en este Proverbio?

B. Todos necesitamos amigos. La Biblia registra varios casos de amistad sincera:

(1) Jonatán y David (1 Samuel 18:1-5, 20:42).

(2) Rut y Noemí (Rut 1:16-18).

(3) Pablo y Timoteo (1 Timoteo 1:2, 18; 2 Timoteo 1:1, 2:1, 15, 22).

¿Recuerda algún otro ejemplo? (Elías y Eliseo, Daniel y sus tres compañeros, etc.).

C. En contraposición a estos casos positivos de amistad, la Biblia menciona a un grupo de "amigos" que afectaron grandemente a un hombre sufriente (Job 2:11, 16:2-20).

D. ¿Siente usted que no tiene amigos? ¿Qué puede hacer? (Proverbios 18:24).

E. Hay una amistad que es muy superior a la relación entre seres humanos. La Biblia se refiere a Abraham como "amigo de Dios" (Isaías 41:8, Santiago 2:23). ¿A qué atribuye este privilegio?

F. ¿Quién demostró ser el amigo que más nos ama? (S. Juan 15:13). Los hombres pueden fallarnos, pero Jesús estará siempre a nuestro lado (S. Mateo 28:20). ¿Cómo podemos corresponder a ese amor? (S. Juan 15:14).

CONCLUSIÓN

Puede ser que alguna circunstancia de la vida nos haya apartado de Jesús, nuestro mejor amigo; pero si nos volvemos a él, sin duda lo encontraremos y podremos vivir eternamente juntos (S. Juan 14:3).

V. CIERRE:

A. Toma de decisiones

B. Invitación para la próxima semana

C. Oración de despedida

SIN CRISTO

I. ALABANZA: CÁNTICOS ESPIRITUALES (diez minutos)

II. CONFRATERNIZACIÓN (diez minutos)

A. ¿Qué significado tiene para usted su nombre?

B. ¿Le agrada el nombre que tiene? ¿Cómo le hubiese gustado llamarse? (Nombre y apellido).

C. En esta lección descubrirá cuán desdichada es la persona que no conoce a Jesús. Si usted u otra persona está pasando por esta realidad, hay una solución. Al final de la lección la conocerá.

III. MOMENTOS DE ORACIÓN (diez minutos)

A. Gratitud

B. Intercesión

C. Petición

IV. ESTUDIO BÍBLICO (30 minutos, leer los textos y responder a las preguntas)

A. Efesios 2:12. ¿Cuándo cree usted que una persona está sin Cristo?

B. S. Juan 12:3. Una persona está sin Cristo cuando no lo conoce o cuando permanece en la ignorancia acerca de lo que Cristo es. ¿Conoce usted a Jesús realmente? Relate qué sabe de él.

C. Romanos 8:9. Una persona está sin Cristo cuando la obra del Espíritu Santo no se ve en su vida. ¿Cómo cree usted que se ve la obra del Espíritu Santo en su vida?

D. S. Juan 3:36. Una persona está sin Cristo cuando no tiene fe o no cree en él. ¿Cómo sabe usted que tiene fe en Jesús? ¿Enfrenta usted hoy algún problema o necesidad que muestra que su fe en Jesús es muy frágil?

E. Efesios 2:12; S. Juan 14:6. Lo terrible de estar sin Cristo es que la persona está también sin Dios en el mundo. ¿Cree usted que podría ser feliz sin Dios?

F. Efesios 2:14; Romanos 5:1. Una persona sin Cristo es una persona sin paz. ¿Goza usted de perfecta paz consigo mismo, con Dios y con los demás?

G. Efesios 2:12. Estar sin Cristo es estar sin esperanza. Comente cómo imagina usted a una persona sin esperanza.

CONCLUSIÓN.

Si tuviera que elegir estar sin amigos/ sin dinero/ sin comodidades/ sin familia/ sin salud/ sin Cristo, ¿cuál sería su elección? Si elige a Jesús, estas palabras son para usted (Apocalipsis 3:8; S. Mateo 10:32; Efesios 2:13). Si conoce a alguien que está sin Cristo, ya sabe qué debe hacer. Sencillamente hágalo.

V. CIERRE:

A. Toma de decisiones

B. Invitación para la próxima semana

C. Oración de despedida

MEMORIA Y OLVIDO

I. ALABANZA: CÁNTICOS ESPIRITUALES (diez minutos)

II. CONFRATERNIZACIÓN (diez minutos)

A. Si tuviera que calificar su memoria entre: muy buena, buena, regular, mala, muy mala, ¿dónde la ubicaría?

B. Mencione cualquier hecho o incidente del pasado que usted recuerde, sea bueno o malo. ¿Tiende a recordar más las cosas buenas o las malas? ¿Cree que es bueno recordar?

C. Sin duda hay alguna buena acción que alguien ha realizado en su favor y que usted ha olvidado. Probablemente habrá alguna ofensa que usted recuerda. En esta lección aprenderá qué es lo que Dios recuerda, qué olvida, y cómo debemos imitarle.

III. MOMENTOS DE ORACIÓN (diez minutos)

A. Gratitud

B. Intercesión

C. Petición

IV. ESTUDIO BÍBLICO (30 minutos, leer los textos y responder a las preguntas)

A. Isaías 49:14-16. Según su opinión, ¿cuál es la mayor evidencia que tiene usted de que Dios no lo olvida? Si no tuviera ninguna, ¿cuál es la mayor evidencia que tiene de que Dios se ha olvidado de usted? (S. Lucas 12:6, 7).

B. Si bien Dios no se olvida del hombre, ¿de qué cosas se olvida él? (Miqueas 7:18-20; Hebreos 8:12; Isaías 43:25). La Biblia afirma que Dios se olvida de nuestros pecados, por supuesto que esta es una buena noticia para todos.

C. Según su opinión, ¿por qué entonces muchos cristianos viven tristes y con sentimientos de culpa? Porque: no sienten el perdón, no se arrepienten, no conocen a Dios, carecen de salud mental, el perdón no existe (Deuteronomio 32:18-19; 1 Juan 1:9).

D. ¿Olvida usted cuando otra persona lo ofende? (S. Mateo 7:11; S. Lucas 11:4). Según su parecer, ¿quién es el más perjudicado: el que no perdona y guarda rencor, o el ofensor que ignora que se le guarda rencor? "Si quieres ensuciar la cara de tu hermano con barro, debes ensuciarte las manos primero".— Proverbio chino.

E. ¿Se olvida usted de Dios? (Isaías 17:10).

CONCLUSIÓN

Santiago 5:16; Hebreos 10:17. Hay cosas que usted debe olvidar hoy. Pida a Dios la fuerza para lograrlo. Hay otras cosas que debe recordar. Pida a Dios sabiduría para que su memoria retenga lo correcto y olvide... usted sabe.

V. CIERRE:

A. Toma de decisiones

B. Invitación para la próxima semana

C. Oración de despedida

LA ANSIEDAD

I. ALABANZA: CÁNTICOS ESPIRITUALES (diez minutos)

II. CONFRATERNIZACIÓN (diez minutos)

A. Sin hacer de esto motivo de ensalzamiento personal, según su opinión ¿cuál es su mayor virtud o don? (Ej.: La amabilidad, la generosidad, la perseverancia, la paciencia).

B. Según los miembros de su grupo, ¿cuál es su mayor virtud?

C. Al pensar en los rasgos negativos de su personalidad/carácter, ¿le sobreviene la ansiedad cuando los cambios que desea no se realizan en forma inmediata?

III. MOMENTOS DE ORACIÓN (diez minutos)

1. Gratitud
2. Intercesión
3. Petición

IV. ESTUDIO BÍBLICO (30 minutos, leer los textos y responder a las preguntas)

A. Salmo 119:25, 28; 39:6. ¿Es usted una persona ansiosa? Entendemos por ansiedad esa agitación que se produce en el ser humano por algo que anhela intensamente y no llega a su vida, o por algo que debe ser superado. ¿Qué cosas le producen mayor ansiedad?: Su situación económica, el área física (enfermedades), la actividad recreativa (vacaciones), la vida espiritual, la vida familiar, la actividad laboral, la carga intelectual (exámenes).

B. Habacuc 1:2-4, 13. ¿Cree usted que la protesta de Habacuc y su ansiedad por recibir rápida respuesta era justificada?

C. ¿Cree usted que la ansiedad es una característica o una actitud negativa o positiva? ¿Por qué?

D. Habacuc 3:16-19. ¿Cree usted que Habacuc aprendió alguna lección relacionada con la ansiedad? ¿No le parece que al estar ansiosos desconfiamos de que Dios nos dará las cosas a su tiempo?

E. S. Mateo 6: 25-34. Usted ya conoce estos versículos, descubra cuáles son los aspectos que Jesús resalta como causantes de ansiedad y analice con su grupo si tal vez están siendo afectados por alguno de ellos.

CONCLUSIÓN

1 Pedro 5:8. Ore al Señor hoy para que quite de su vida toda causa de ansiedad y pueda disfrutar en plenitud su confianza en Dios. Seguramente sus ojos ven hoy más claramente los propósitos de Dios, ayude a otra persona en esta semana para que experimente lo mismo.

V. CIERRE:

1. Toma de decisiones
2. Invitación para la próxima semana
3. Oración de despedida

EL CANSANCIO

I. ALABANZA: CÁNTICOS ESPIRITUALES (diez minutos)

II. CONFRATERNIZACIÓN (diez minutos)

A. ¿Qué cosas lo cansan más: El trabajo, los problemas familiares, las dificultades económicas, las tareas de la casa, sus hijos, sus padres, las injusticias, su iglesia, su esposo/a, todo, nada, otra cosa?

B. ¿De qué carga que lo aplasta quisiera usted liberarse hoy?

C. ¿Cuál es para usted el lugar, la persona o la ocasión donde encuentra alivio y nuevas energías para llevar sus cargas?

D. Mencione alguna dificultad que no puede superar. Transmita lo que aprenda en esta lección.

III. MOMENTOS DE ORACIÓN (diez minutos)

A. Gratitud

B. Intercesión

C. Petición

IV. ESTUDIO BÍBLICO (30 minutos, leer los textos y responder a las preguntas)

A. Génesis 25:29-33. Según esta descripción, ¿cómo se sentía Esaú al regresar del campo? ¿No cree usted que el cansancio le impidió a Esaú evaluar correctamente las cosas? (Hebreos 12:12-17).

B. Salmo 69:1-3. A diferencia de Esaú, ¿qué tipo de cansancio experimentaba David? ¿Pasó usted en alguna ocasión por esta experiencia? Relátelo. Algo similar ocurrió con los israelitas (Isaías 43:22).

C. Números 11:10-15. Diferente fue la experiencia de Moisés al cansarse de su pueblo a tal grado, que deseó la muerte como la mejor alternativa. ¿Se cansó alguna vez usted de su familia, su iglesia o sus tareas en el grupo pequeño a tal punto de pensar en renunciar a ellos? ¿Pudo superarlo? ¿Cómo? Relátelo.

D. ¿Se cansó alguna vez de hacer el bien a los demás porque su obra no fue lo suficientemente valorada?

CONCLUSIÓN

Isaías 35:3, 4; 40:28-31; S. Mateo 11:28-30. Si usted experimenta hoy cansancio físico, espiritual o familiar, estas promesas son alentadoras. No es el propósito de Dios que la solución llegue mañana, sino que hoy mismo en oración pueda encontrar alivio. No deje de orar hasta que lo sienta en lo más profundo del corazón (Isaías 50:4, 5; Gálatas 6:9, 10). Póngalo en práctica.

V. CIERRE:

A. Toma de decisiones

B. Invitación para la próxima semana

C. Oración de despedida

TRANSPLANTE CARDÍACO

I. ALABANZA: CÁNTICOS ESPIRITUALES (diez minutos)

II. CONFRATERNIZACIÓN (diez minutos)

A. Mencione a quién, si fuera necesario, estaría dispuesto a donar uno de sus riñones. Sea sincero.

B. Piense en alguien que a su criterio le ha causado mucho daño y sufrimiento (no dé nombres). Si la vida de esa persona dependiera de un trasplante, ¿estaría usted dispuesto a prolongársela al donarle alguno de sus órganos?

C. ¿Por quién estaría dispuesto a morir? No se apresure a responder, piénselo. ¿Es malo no estar dispuesto a morir por otra persona?

D. ¿Cree que hay algo mucho más sencillo que morir por otro que usted debe hacer y no lo está haciendo? Menciónelo.

III. MOMENTOS DE ORACIÓN (diez minutos)

A. Gratitud

B. Intercesión

C. Petición

IV. ESTUDIO BÍBLICO (30 minutos, leer los textos y responder a las preguntas)

A. S. Mateo 27:15-26. Según su parecer: Jesús murió, por culpa de Barrabás, por toda la humanidad, por usted, por Pilato.

B. Los evangelios registran que Jesús tomó el lugar que le correspondía a Barrabás en la cruz. Éste era un criminal famoso (S. Marcos 15:6, 7; S. Lucas 23:18, 19; S. Juan 18:40). ¿A quién representa Barrabás?

C. Romanos 5:6-8. ¿Cree usted que es posible imitar a Jesús en su demostración suprema de amor por los demás? Si no lo es, ¿por qué no?

D. 1 Pedro 2:21-25. ¿Qué emociones despiertan en usted estos versículos? Un inocente que muere por un culpable; un santo que muere por un pecador. ¿Vive usted a la altura del costo de su salvación?

CONCLUSIÓN

Filipenses 2:3-8. Pida a Dios que le dé la misma forma de pensar que Jesús. Para que esto se realice Dios quiere efectuar hoy en usted, con suma urgencia, "un trasplante de corazón" (Ezequiel 11:19; 36:25-27). Permítaselo.

V. CIERRE:

A. Toma de decisiones

B. Invitación para la próxima semana

C. Oración de despedida

LA MANSEDUMBRE

I. ALABANZA: CÁNTICOS ESPIRITUALES (diez minutos)

II. CONFRATERNIZACIÓN (diez minutos)

A. ¿Conoce usted a alguna persona que es mansa de corazón? ¿Cómo se dio cuenta de ello? Relate su experiencia.

B. ¿En qué gesto o acto de la vida de Jesús en la tierra, percibe usted más su mansedumbre?

C. ¿Para qué problema actual de su vida necesita tener mansedumbre? Si no le alcanza la que tiene para sobrellevar sus problemas, practique el tema de hoy y tendrá más.

III. MOMENTOS DE ORACIÓN (diez minutos)

A. Gratitud

B. Intercesión

C. Petición

IV. ESTUDIO BÍBLICO (30 minutos, leer los textos y responder a las preguntas)

A. S. Mateo 5:5. "El carácter que adquiráis durante el tiempo de gracia, será el carácter que tendréis cuando venga Cristo. Si queréis ser santos en el cielo, debéis ser santos primero en la tierra... Jesús no cambia nuestro carácter al venir... nuestra vida diaria determina nuestro destino".*

B. ¿Qué referencias tenemos acerca de la manifestación de la mansedumbre de Cristo?

(1). Su silencio en la tortura (Isaías 53:7).

(2). Manso de corazón (S. Mateo 11:29).

(3). Enseñaba en la vida práctica (S. Mateo 26:52).

(4). Le fue útil para sus momentos más difíciles (1 S. Pedro 2:23).

C. Si usted cree que su mansedumbre es muy escasa comparada con la de Jesús, ¿cómo la podría aumentar?

D. Los siguientes versículos le darán la respuesta:

(1). Buscarla (Sofonías 2:3).

(2). Pedir el Espíritu Santo y sus frutos (Gálatas 5:22, 23).

(3). Aplicarla en la vida diaria (S. Lucas 6:27-31).

CONCLUSIÓN

Los mansos son felices, recibirán la tierra por heredad (S. Mateo 5:5), serán salvos (Salmo 76:9), Dios los guía (Salmo 25:9). ¡Vale la pena ser manso!

V. CIERRE:

A. Toma de decisiones

B. Invitación para la próxima semana

C. Oración de despedida

---

*Elena G. De White, *El hogar cristiano*, p. 12.

ENAMORADOS DE DIOS

I. ALABANZA: CÁNTICOS ESPIRITUALES (diez minutos)

II. CONFRATERNIZACIÓN (diez minutos)

A. ¿Sintió alguna vez que Dios estaba muy cerca de usted? ¿Cuándo fue la última vez que lo sintió?

B. Además de la vida y la salud, ¿cuál cree que fue el último regalo especial que Dios le dio?

III. MOMENTOS DE ORACIÓN (diez minutos)

A. Gratitud

B. Intercesión

C. Petición

IV. ESTUDIO BÍBLICO (30 minutos, leer los textos y responder a las preguntas)

A. Ezequiel 16:6-9; Isaías 62:4, 5. ¿Qué razones cree usted que tuvo Dios para llamarse esposo de seres humanos pecadores?

B. S. Mateo 9:15; 2 Corintios 11:2. ¿Por qué Cristo decidió ser el esposo de la naciente iglesia? (S. Juan 13:1; 15:12).

C. Ezequiel 16:13, 14. ¿Cuál es la causa por la cual Dios nos bendice, y cuál es el objetivo? Dios quería que su pueblo se enamorase de él, pero el pueblo se enamoró de otros dioses (Ezequiel 16:15-17).

D. Dios nos bendice sólo porque nos ama (S. Juan 3:16). Dios merece que le correspondamos con nuestro amor y obediencia de corazón.

CONCLUSIÓN

¿Quiere usted amar más a Dios? Lea 1 Juan 4:8. La única manera es conocerlo. Si así lo hace, tendrá esta recompensa. Apocalipsis 19:7-9. Formará parte de la esposa espiritual del Cordero que se ha preparado por amor a su Esposo.

V. CIERRE:

A. Toma de decisiones

B. Invitación para la próxima semana

C. Oración de despedida

LA ALABANZA

I. ALABANZA: CÁNTICOS ESPIRITUALES (diez minutos)

II. CONFRATERNIZACIÓN (diez minutos)

    A. Si se le ofreciera un viaje gratuito de ida y vuelta a alguna parte del mundo, a su elección, ¿a dónde iría? ¿por qué?

    B. ¿Qué clase de animal admira más? ¿por qué?

    C. ¿Alaba usted a Dios? ¿cómo lo hace?

III. MOMENTOS DE ORACIÓN (diez minutos)

    A. Gratitud

    B. Intercesión

    C. Petición

IV. ESTUDIO BÍBLICO (30 minutos, leer los textos y responder a las preguntas)

    A. Salmo 22:23. ¿Qué significa alabar a Dios? Según el diccionario es elogiar, ensalzar, exaltar, poner a alguien en una parte alta, elevar.

    B. Salmo 67:3. ¿Por qué la alabanza es parte de la vida cristiana? (1 Pedro 2:9; 1 Corintios 6:20). ¿Cuál es el objetivo de la alabanza? (Isaías 43: 6, 7; Salmo 147:1). ¿En qué nos beneficia personalmente?

    C. ¿Es siempre la alabanza una respuesta a las bendiciones de Dios? ¿Es posible alabarle aun en la aflicción? (Job 1:21; Hechos 16:24, 25).

    D. ¿De qué diferentes maneras podemos alabar a Dios?:

1. Salmo 146:2	Cantando
2. Salmo 150:3-5	Con instrumentos
3. Hebreos 13:15	Al confesar su nombre
4. Salmo 9:11	Al publicar sus obras
5. 1 Corintios 1:31	Al vivir para darle gloria
6. S. Juan 15:8	Llevando mucho fruto

    E. ¿Cómo podemos influir para que otros alaben a Dios? (S. Mateo 5:16).

CONCLUSIÓN

Apocalipsis 5:11, 12; 7:11,12. La familia de Dios en los cielos alaba al Creador, y anhela hacerlo muy pronto con usted frente al trono de nuestro gran Dios y Salvador Jesucristo. Si usted también lo desea, practique lo que dice el Salmo 35:28, y sea su oración la expresión del Salmo 51:15.

V. CIERRE:

    A. Toma de decisiones

    B. Invitación para la próxima semana

    C. Oración de despedida

LA SEGUNDA VENIDA

I. ALABANZA: CÁNTICOS ESPIRITUALES (diez minutos)

II. CONFRATERNIZACIÓN (diez minutos)

A. ¿Qué experiencia de esta semana le ayudó a reavivar su esperanza en la venida de Jesús?

B. Si le llegara ahora un telegrama sin remitente que dijera: "Dentro de algunos días recibirá la recompensa de lo que usted me hizo", ¿qué pensaría? ¿cómo se sentiría?: Tranquilo, arrepentido, temeroso, feliz, desesperado, contento.

III. MOMENTOS DE ORACIÓN (diez minutos)

A. Gratitud

B. Intercesión

C. Petición

IV. ESTUDIO BÍBLICO (30 minutos, leer los textos y responder a las preguntas)

A. S. Mateo 16:27; 25:40; Apocalipsis 22:12. Según estos versículos, el Señor nos ha enviado un "telegrama" similar al del ejemplo anterior. Pronto su contenido se hará efectivo. ¿Cuál piensa usted que será el pago que recibirá?

B. Ezequiel 7:6-13, 16-19, 25-27; Apocalipsis 1:7. A la luz de estos pasajes, ¿puede usted seguir esperando con gozo la segunda venida de Cristo? ¿Por qué sí o por qué no?

C. En Jeremías 29:11, Dios promete darnos "el fin que esperamos". Según 2 Pedro 3:10-14. ¿Hay algo que podamos hacer para que el día del Señor nos encuentre preparados?

D. Hebreos 12:14. ¿Cree usted haber alcanzado la "santidad"? Si así no fuera, ore fervientemente para que el Espíritu Santo lo ayude a vencer sus defectos y estar listo para "ver al Señor".

CONCLUSIÓN

S. Marcos 13:13; Proverbios 23:17, 18. No desespere en la lucha, persevere y recuerde: Su "esperanza no será cortada".

V. CIERRE:

A. Toma de decisiones

B. Invitación para la próxima semana

C. Oración de despedida

CRECIMIENTO Y FRUTOS DEL CRISTIANO

I. ALABANZA: CÁNTICOS ESPIRITUALES (diez minutos)

II. CONFRATERNIZACIÓN (diez minutos)

    A. ¿Pensó alguna vez en las "virtudes" de las plantas? Mencione alguna lección que puede extraer de ellas.

    B. De todas las especies de insectos que conoce, ¿cuál es la que más admira y por qué?

    C. En pocas palabras diga cuál es el propósito de su vida en la tierra.

III. MOMENTOS DE ORACIÓN (diez minutos)

    A. Gratitud

    B. Intercesión

    C. Petición

IV. ESTUDIO BÍBLICO (30 minutos, leer los textos y responder a las preguntas)

    A. Proverbios 4:5-8. La Biblia insta al ser humano a adquirir sabiduría, inteligencia. ¿Cuál debería ser el objetivo fundamental de nuestra búsqueda de conocimiento (S. Juan 17:3).

    B. Una vez que hemos comenzado a conocer a Dios necesitamos crecer. Jesús creció armoniosamente (S. Lucas 2:52). ¿Cuál fue el secreto de su crecimiento espiritual? El estudio de las Escrituras (S. Lucas 4:16-19).

    C. ¿Qué podemos hacer para crecer en nuestro conocimiento de Dios? (Romanos 12:1, 2).

    D. El ciclo completo de todo ser vivo incluye alimentarse, crecer y dar fruto. ¿Qué "frutos" darán evidencia de nuestro "crecimiento"? (Eclesiastés 9:10; Hechos 20:35; 1 Pedro 4:10).

    E. ¿Por qué fue desechado Israel? (S. Mateo 21:43).

CONCLUSIÓN

Leer S. Mateo 25:34-36, 40. ¡Qué gozo será escuchar estas palabras en el gran día final! Si anhela que esta sea una realidad en su vida, bríndese cada día en verdaderos actos de bondad (Santiago 1:27).

V. CIERRE:

    A. Toma de decisiones

    B. Invitación para la próxima semana

    C. Oración de despedida

LAS PRÁCTICAS "OCULTAS"

I. ALABANZA: CÁNTICOS ESPIRITUALES (diez minutos)

II. CONFRATERNIZACIÓN (diez minutos)

A. Que cada miembro del grupo diga cuál es su mayor motivo de felicidad hoy. Si no lo tuviere que diga el porqué.

B. ¿En qué oportunidad o momento de su vida notó que estaba entrando en terreno del diablo o experimentó su influencia sobre usted? ¿Cómo logró superar ese trance? ¿Se siente totalmente libre de esa diabólica influencia?

C. ¿Cree usted que hay muchas personas hoy que están sometidas al dominio de Satanás? ¿Conoce a alguna de ellas? ¿Cómo se la puede ayudar? ¿Lo está haciendo? Esta lección le ayudará a comprender lo que Cristo quiere hacer por las personas encarceladas por el diablo.

III. MOMENTOS DE ORACIÓN (diez minutos)

A. Gratitud

B. Intercesión

C. Petición

IV. ESTUDIO BÍBLICO (30 minutos, leer los textos y responder a las preguntas)

A. S. Lucas 4:31-37. Según su opinión, ¿cómo puede Satanás llegar a tomar posesión de una persona? Si la persona se lo pide/ cuando no acepta a Jesús/ inconscientemente/ cuando mira la TV/ al asistir a lugares donde Jesús no puede estar/ cuando se comete el pecado imperdonable/al consultar curanderos o personas que practican la adivinación/ nunca.

B. ¿Cuándo cree usted que Satanás tomó posesión de las siguientes personas?: Saúl, Judas, Sansón, María Magdalena.

C. Lea estos versículos y comente. ¿Por qué condena la Biblia la adivinación, el curanderismo, los "manos santas", el consultar a los muertos? (1 Corintios 10:13-14; Levítico 19:31; 20:6; Deuteronomio 18:10-12; Isaías 8:19, 20).

D. ¿Consultó usted en alguna ocasión a una de estas personas? ¿Cuál fue su experiencia? ¿Pudo superarlo?

E. Si usted siente que Satanás todavía tiene influencia sobre su vida por haber consultado en el pasado a curanderos, adivinos, los que echan las cartas, etc. y se ha colocado así en el terreno del enemigo, hoy ha recibido buenas noticias: Cristo le quiere dar libertad, él quiere abrir la cárcel en la que el demonio lo tiene encerrado para que sea libre (Isaías 61:1, 2).

CONCLUSIÓN

S. Lucas 6:17-19. Jesús tiene poder para liberar a todo aquel que está atrapado por Satanás. Siéntase feliz y transmítaselo a otros que todavía no han sido liberados.

V. CIERRE:

A. Toma de decisiones

B. Invitación para la próxima semana

C. Oración de despedida

LOS OVNIS

I. ALABANZA: CÁNTICOS ESPIRITUALES (diez minutos)

II. CONFRATERNIZACIÓN (diez minutos)

A. ¿Cuál ha sido el mejor regalo que ha recibido usted en su vida? ¿Por qué? ¿Cuál ha sido el regalo más costoso que ha dado usted en su vida? ¿Fue apreciado como usted lo esperaba?

B. ¿Cree usted en los extraterrestres? ¿Qué son para usted los objetos voladores no identificados? ¿Pueden los extraterrestres comunicarse con el hombre? ¿Tuvo usted alguna experiencia de esa clase? Coméntela.

C. En esta lección usted descubrirá quiénes son los extraterrestres. Si conoce a alguna persona interesada en el tema, tendrá la oportunidad de transmitirle lo que Dios dice al respecto. Hágalo.

III. MOMENTOS DE ORACIÓN (diez minutos)

A. Gratitud

B. Intercesión

C. Petición

IV. ESTUDIO BÍBLICO (30 minutos, leer los textos y responder a las preguntas)

A. Según su parecer, las apariciones de OVNIS son: ¿mentiras, seres de otros planetas, alucinaciones, ángeles de Dios, ángeles del diablo?

B. Apocalipsis 12:7-9, 12. Según estos versículos, ¿cuál es el lugar de residencia de Satanás y los demonios? ¿Qué dicen estos versículos que hace Satanás? "Engaña a los moradores de la tierra", "hace grandes señales" (Apocalipsis 13:13, 14). Jesús vio un OVNI y lo identificó, no se dejó engañar (S. Lucas 10:18).

C. En su opinión, ¿cuál es el propósito de estas apariciones? La Biblia tiene la respuesta (Apocalipsis 16:13, 14). Isaías 14:12-15. Satanás es un ángel que se apartó de la voluntad de Dios. Por lo tanto, ¿pueden sus engaños tener propósitos nobles? 2 Corintios 11:14. Tiene ministros humanos que lo representan. Mencione cómo.

D. Efesios 6:12. ¿Pueden los cristianos ser engañados? (S. Mateo 24:23-26; 1 Pedro 5:8).

E. ¿Cuál será el final de los platillos voladores, sus tripulantes y su capitán? (Apocalipsis 20:9, 10; Romanos 16:20).

CONCLUSIÓN

2 Tesalonicenses 2:7-12. ¿Es usted de los que están siendo engañados? El Señor pone en su manos toda la información necesaria para poder estar alerta (Santiago 4:7; Efesios 4:27). La Biblia habla de la más gloriosa invasión extraterrestre, la segunda venida de Cristo. ¿Está usted preparado para recibirlo? (S. Mateo 24:27).

V. CIERRE:

A. Toma de decisiones

B. Invitación para la próxima semana

C. Oración de despedida

LA MENTIRA

I. ALABANZA: CÁNTICOS ESPIRITUALES (diez minutos)

II. CONFRATERNIZACIÓN (diez minutos)

A. Si usted es casado/a, diga ¿cuál es la mayor virtud de su esposo/a. Si es soltero, ¿cuál es la mayor virtud de sus padres?

B. ¿Qué es para usted la mentira? ¿Dice usted la verdad: siempre, casi siempre, algunas veces, nunca? Mencione las consecuencias que sufrió alguna vez por no decir la verdad.

C. En esta lección usted descubrirá que la mentira afecta y destruye la vida espiritual. Pida a Dios que al terminar este estudio de la Biblia se efectúen en su vida los cambios necesarios y que de esa manera pueda ayudar a otros.

III. MOMENTOS DE ORACIÓN (diez minutos)

A. Gratitud

B. Intercesión

C. Petición

IV. ESTUDIO BÍBLICO (30 minutos, leer los textos y responder a las preguntas)

A. Génesis 20:1-5, 11, 13. ¿Cuál es su parecer respecto del proceder de Abraham? Fue: mentiroso, medio mentiroso, astuto, falto de fe, veraz, dirigido por Dios, nada.

B. Hechos 5:1-3. ¿Ve usted alguna diferencia entre la mentira de Abraham y Sara y la de Ananías y Safira? Analice las similitudes y las diferencias entre estos dos matrimonios. ¿Por qué las consecuencias fueron distintas? (Génesis 20:14-18; Hechos 5:5, 7-10).

C. Abraham y Sara intentaron mentirle a un hombre, esto también desagrada a Dios (Colosenses 3:9; Proverbios 12:22).

D. ¿Qué es, a la luz de la historia de Ananías y Safira, mentirle al Espíritu Santo? (prometer algo a Dios y no cumplirlo). Esto afectó la vida espiritual de ellos. ¿Ha hecho usted alguna promesa a Dios y no la está cumpliendo? ¿Por qué? Todo cristiano verdadero ha hecho un pacto (promesa) con Jesús de llevar el Evangelio a todo el mundo. ¿Lo está usted haciendo?

E. S. Juan 8:44. ¿A quién pertenece el mentiroso?

F. 1 Juan 1:6, 7; 4:20. Piénselo y opte por la propuesta del apóstol Pablo registrada en Efesios 4:25.

CONCLUSIÓN

El final para los mentirosos es triste (Apocalipsis 21:8). Si usted ha descubierto hoy que está mintiendo al Espíritu Santo, tiene la oportunidad de comenzar de nuevo.

V. CIERRE:

1. Toma de decisiones

2. Invitación para la próxima semana

3. Oración de despedida

EL OLVIDO

I. ALABANZA: CÁNTICOS ESPIRITUALES (diez minutos)

II. CONFRATERNIZACIÓN (diez minutos)

A. ¿Recuerda con mayor facilidad los hechos agradables o los desagradables de su vida? ¿Por qué?

B. ¿Hay cosas en su memoria que quisiera olvidar? Si así fuera, ¿por qué no olvida?

C. ¿Hay cosas que usted hizo y quisiera que fueran olvidadas y sin embargo hay algo o alguien que se lo recuerda constantemente? En esta lección comprenderá que hay cosas que Dios recuerda y otras que él olvida, sin duda le hará bien saberlo.

D. ¿Cree usted que hay alguna persona que no conocería a Jesús si no fuera por su intermedio? Si así fuera pida a Jesús que le permita testificarle en esta semana. Ofrézcale estudiar la Biblia con ella.

III. MOMENTOS DE ORACIÓN (diez minutos)

A. Gratitud

B. Intercesión

C. Petición

IV. ESTUDIO BÍBLICO (30 minutos, leer los textos y responder a las preguntas)

A. Miqueas 7:18, 19. ¿Qué cosas olvida Dios? ¿Cuándo olvida? (1 Juan 1:9). ¿Qué produce en usted el saber que Dios olvida sus pecados?: Felicidad, tranquilidad, paz, gratitud, duda, indiferencia, libertad para seguir pecando, nada (Hebreos 8:1, 2).

B. Isaías 43:25. ¿Por qué, si Dios perdona y olvida nuestros pecados, nosotros los seguimos recordando? ¿No será que dudamos del perdón de Dios?

C. ¿No cree que muchas veces nos encargamos de recordar y hacerles recordar sus pecados a otras personas? ¿Usted les ha hecho recordar sus pecados a los demás? Comente.

D. Filipenses 3:12, 13. ¿Qué debemos olvidar según San Pablo? ¿Qué significa para cada miembro del grupo olvidar lo que queda atrás? ¿Lo practica?

E. Deuteronomio 32:15. ¿Se olvidó alguna vez de Dios? Comente. Hay algo y alguien que el hombre no debiera olvidar nunca, descúbralo en estos versículos (Deuteronomio 8:11, 19).

CONCLUSIÓN

S. Lucas 12:6, 7. Dios se olvida de nuestros pecados y quiere que nosotros también los olvidemos. Pero hay algo que Dios nunca olvidará, a nosotros, sus hijos (Isaías 49:14-16). ¿No le da felicidad saber esto?

V. CIERRE:

1. Toma de decisiones
2. Invitación para la próxima semana
3. Oración de despedida

LA GRAN DECISIÓN

I. ALABANZA: CÁNTICOS ESPIRITUALES (diez minutos)

II. CONFRATERNIZACIÓN (diez minutos)

A. Piense en las grandes decisiones que le tocó tomar en la vida, fueron tomadas correctamente: siempre, casi siempre, rara vez, nunca.

B. ¿Sufrió en alguna ocasión una gran pérdida por su indecisión? Relate su experiencia.

C. ¿Cuál fue la mejor decisión de su vida? Relátelo. En esta lección estudiaremos que hay momentos en los cuales la duda o la indecisión pueden ser fatales. ¿No cree que alguna persona se puede perder eternamente por su indecisión de presentarle la Palabra de Dios?

III. MOMENTOS DE ORACIÓN (diez minutos)

A. Gratitud

B. Intercesión

C. Petición

IV. ESTUDIO BÍBLICO (30 minutos, leer los textos y responder a las preguntas)

A. 1 Reyes 18:21. En su opinión. ¿Era justificada la indecisión de los hijos de Israel? ¿Por qué?

B. ¿Es usted una persona que toma decisiones rápidas, o le gusta meditar largo tiempo antes de decidirse? Meditar mucho las cosas antes de tomar una resolución, ¿es bueno o malo?

C. Hebreos 3:12-15. Según el consejo bíblico hay un terreno en el cual la indecisión puede ser fatal. ¿Cuál es? (el terreno espiritual).

D. Hebreos 3:7, 8. ¿Quién nos aconseja que tomemos una decisión espiritual rápida? (el Espíritu Santo).

E. Josué 24:15. ¿Qué mensaje percibe usted en este versículo?

F. ¿Hay hoy en el grupo alguien que todavía está indeciso en cuanto a su aceptación de Jesús como su Salvador? ¿No cree que hoy es una buena oportunidad para que esa decisión se cristalice? (Joel 3:14).

CONCLUSIÓN

2 Corintios 6:2. El Señor Jesús desea que usted tome hoy la mejor de las decisiones. El pensarlo por largo tiempo puede costarle la vida eterna (S. Lucas 17:32). Las palabras de Jesús: "Acordaos de la mujer de Lot" son muy significativas. Ella, por no tomar una decisión en el momento justo, se perdió eternamente. Oren para que todos regresen hoy a su hogares habiendo hecho la decisión de seguir a Jesús (Apocalipsis 3:20).

V. CIERRE:

1. Toma de decisiones

2. Invitación para la próxima semana

3. Oración de despedida

EL ARREGLO PERSONAL

I. ALABANZA: CÁNTICOS ESPIRITUALES (diez minutos)

II. CONFRATERNIZACIÓN (diez minutos)

A. ¿Qué es para usted la moda?

B. ¿Qué cosas de la moda le atraen más?: La ropa/la comida/el vocabulario/las comodidades/el arreglo personal/la música/la moral/nada/todo.

C. ¿Es usted una persona "a la moda"? Explique su respuesta.

D. ¿Se viste usted como quiere o como puede? ¿Cree usted que puede afectar a los demás su forma de vestir o arreglarse?

E. Sólo para miembros de iglesia: ¿Cuántas personas interesadas en el Evangelio están asistiendo? Anoten sus nombres en la parte posterior del informe para que el pastor y los ancianos puedan orar por ellos. No lo olvide.

III. MOMENTOS DE ORACIÓN (diez minutos)

A. Gratitud

B. Intercesión

C. Petición

IV. ESTUDIO BÍBLICO (30 minutos, leer los textos y responder a las preguntas)

A. En su opinión, la vestimenta y el arreglo personal tienen que ser limitados por: el gusto personal, la moda, la familia, el pastor o sacerdote, nadie, la Biblia, la época, las costumbres del país, la iglesia, mi prójimo (Romanos 14:7, 13). ¿Le afectó negativamente alguna vez la forma de vestir de otro? ¿Por qué? ¿Cree que su arreglo personal fue en algún momento perjudicial para otros?

B. 1 Pedro 3:1-4. Comente estos versículos. Según su parecer, ¿qué lugar ocupan las alhajas en estos pensamientos?

C. 1 Timoteo 2:9,10. Dos palabras que se destacan son: "ostentoso" y "costosos". ¿Qué significan para usted hoy estas palabras?

D. ¿Cree usted que tiene libertad para hacer lo que bien le parece sin tener que dar cuentas a nadie? (Lea 1 Corintios 8:9; 10:32; 11:1.)

E. Eclesiastés 9:8. Es tan chocante para Dios el que es ostentoso en su vestimenta como el que se presenta desprolijo y falto de higiene. ¿En qué cree usted que puede mejorar?

CONCLUSIÓN

Apocalipsis 17:4, 5. En la Biblia este tipo de vestimenta representa al pecado y a Satanás, y hay un gran contraste con Apocalipsis 3:5; 7:13, donde a los salvados se los presenta vestidos de vestiduras blancas. ¿A cuál de estos dos grupos se asemeja más usted hoy? ¿Permite usted que su cristianismo interno se vea en lo externo?

V. CIERRE:

A. Toma de decisiones

B. Invitación para la próxima semana

C. Oración de despedida

"CANTAD A JEHOVÁ"

I. ALABANZA: CÁNTICOS ESPIRITUALES (diez minutos)

II. CONFRATERNIZACIÓN (diez minutos)

    A. ¿Cuál fue el último himno que cantó en la última reunión en su iglesia? ¿De los himnos de su iglesia, ¿cuál es el que más le agrada?

    B. ¿El canto de qué ave le gusta más?

    C. Aparte de los cultos, ¿le agrada cantar durante el día?

III. MOMENTOS DE ORACIÓN (diez minutos)

    A. Gratitud

    B. Intercesión

    C. Petición

IV. ESTUDIO BÍBLICO (30 minutos, leer los textos y responder a las preguntas)

    A. Salmo 98:4-6. ¿Acostumbra usted cantar a Dios? ¿Por qué? ¿Acostumbra cantar cuando está: desanimado, solo, amargado, triste, feliz, cuando todo le va bien, o cuando quiere agradecer a Dios?

    B. Salmo 150. La alabanza a Dios en Israel era con instrumentos de música. (Números 10:1, 2, 10). ¿Sabe usted tocar algún instrumento? ¿Cuál? Mencione el instrumento que más le agrada.

    C. 1 Crónicas 23:5. ¿Era importante el canto en Israel? (2 Crónicas 5:12; Salmo 68:25). ¿Por qué es necesario que los cristianos cantemos?

    D. Efesios 5:19; Colosenses 3:16; Santiago 5:13. El objetivo principal del canto es la alabanza al Creador y Redentor, pero, ¿cómo nos ayuda en nuestra vida espiritual?

    E. "El canto es un arma contra el desánimo, aleja la tristeza y los malos presentimientos, aviva la fe y planta los principios de la verdad en la memoria. Inspira y eleva el alma, hace brotar el arrepentimiento, despierta la piedad, suaviza, calma y subyuga el alma... es uno de los instrumentos de Dios en la obra de salvar almas".[1]

CONCLUSIÓN

S. Mateo 26:30. Jesús siempre cantaba. Él es nuestro ejemplo. "Cuando se lo criticaba, comenzaba a cantar uno de los salmos, y antes que se dieran cuenta, ellos también estaban cantando".[2]

V. CIERRE:

A. Toma de decisiones

B. Invitación para la próxima semana

C. Oración de despedida

---

(1) Raymond H. Woolsey, *Alegría matinal*, p. 282. (2) Elena G. De White, *Dios nos cuida*, p. 92.

NIÑOS ESPECIALES

I. ALABANZA: CÁNTICOS ESPIRITUALES (diez minutos)

II. CONFRATERNIZACIÓN (diez minutos)

A. Mire hacia atrás en el tiempo. ¿A qué edad surge el primer recuerdo? ¿Cómo fue su infancia?: muy feliz, normal, poco feliz, no recuera su infancia, muy triste.

B. Piense en la persona que fue más importante para usted en su niñez. ¿Qué fue lo que lo hizo especial? ¿Qué aspecto de su personalidad usted quisiera imitar? Si aún vive, agradézcale por la influencia que ejerció en su vida.

C. Tal vez un niño esté fijándose en usted como una persona digna de imitar. En la semana procure dar atención a sus actos y evalúe si son dignos de ser imitados. Si así no fuera, en Jesús encontrará el poder para cambiar.

III. MOMENTOS DE ORACIÓN (diez minutos)

A. Gratitud

B. Intercesión

C. Petición

IV. ESTUDIO BÍBLICO (30 minutos, leer los textos y responder a las preguntas)

A. En la Biblia hay numerosas menciones de niños que llegaron a ser destacados adultos. Estudie los siguientes casos:
   (1) Moisés (Éxodo 2:1-10).
   (2) Samuel (1 Samuel 3:1-10).
   (3) Sansón (Jueces 13:1-8).

B. ¿Nota algo en común en estos tres casos estudiados? ¿Qué reflexión le sugieren estos ejemplos? ¿No cree usted que Dios puede estar llamando a sus hijos?

C. La Biblia registra también varios milagros efectuados a niños:
   (1) 1 Reyes 17:17-23.
   (2) S. Lucas 7:11-15.
   (3) S. Lucas 8:41, 42, 49-55.

D. Si Usted tiene problemas de educación o enfermedad, Dios está dispuesto a ayudarle. Si alguno de sus hijos está "muerto en el pecado" no desespere. Aquel que resucitó niños ayer, puede "volver a la vida" a su hijo hoy.

E. Si en su grupo hay niños, esta pregunta es para ellos: ¿Qué es Jesús para ti? ¿A qué edad puede un niño entregarse a Dios? Si sientes que él te está llamando no esperes a ser "grande". Recuerda lo que dice S. Lucas 18:15.

CONCLUSIÓN

Cada uno de nosotros anhela llegar al cielo con sus hijos. El tiempo de prepararlos es cuando aún son niños (Proverbios 22: 6; 2 Timoteo 3:15). Que podamos decir en el día final: "He aquí, yo y los hijos que Dios me dio" (Hebreos 2:13).

V. CIERRE:

A. Toma de decisiones

B. Invitación para la próxima semana

C. Oración de despedida

BUENOS DESEOS

I. ALABANZA: CÁNTICOS ESPIRITUALES (diez minutos)

II. CONFRATERNIZACIÓN (diez minutos)

    A. ¿Tuvo usted un deseo que se le haya cumplido hoy?

    B. Si tuviera que escribir su testamento, ¿cuál cree que sería el último deseo que escribiría?

    C. ¿Cuál fue el momento de su vida en que más deseaba y buscaba estar con Dios?

    D. ¿Desea usted la salvación de sus familiares? ¿Qué hace usted por ellos?

III. MOMENTOS DE ORACIÓN (diez minutos)

    A. Gratitud

    B. Intercesión

    C. Petición

IV. ESTUDIO BÍBLICO (30 minutos, leer los textos y responder a las preguntas)

    A. Proverbios 13:12. ¿Tiene usted alguna "esperanza que se demora"? ¿Cree que es acertado tener esa esperanza?

    B. 2 Corintios 13:5-7. Al examinarse a usted mismo, ¿cree que todos sus deseos son los que Jesús tendría si estuviese en su lugar?

    C. Salmo 73:25; 84:1, 2, l0. Sinceramente, ¿vibra usted con el mismo deseo que el salmista? ¿Siente el anhelo profundo de estar con Dios en todo momento? Si así no fuera, ¿qué debería hacer para desear las cosas de Dios?

    D. Filipenses 2:12, 13. Si nos ocupamos de nuestra salvación con temor y temblor, Dios cumplirá lo que dice el vers. 13.

    E. ¿Cuáles fueron los deseos de los siguientes personajes bíblicos, y qué hicieron para que se cumplieran?:

        (1) Abraham (Génesis 18:32).

        (2) Jacob (Génesis 32:26).

        (3) Moisés (Deuteronomio 9:18).

        (4) La mujer cananea (S. Mateo 15:27).

        (5) La iglesia primitiva (Hechos 12:5).

        (6) Elías (Santiago 5:17).

    F. Jesús también tuvo fervientes deseos espirituales: ¿Qué hizo al respecto? S. Lucas 6:12, 13; 22:44. ¿Anhela usted fervientemente la salvación de sus seres amados y vecinos? Siga el ejemplo de oración y trabajo misionero de Jesús y verá recompensados sus esfuerzos.

CONCLUSIÓN

Salmo 38:9,15; Jeremías 31:3. No olvide que Dios responde.

V. CIERRE:

    A. Toma de decisiones

    B. Invitación para la próxima semana

    C. Oración de despedida

FRENTE A GRAVES PRUEBAS

I. ALABANZA: CÁNTICOS ESPIRITUALES (diez minutos)

II. CONFRATERNIZACIÓN (diez minutos)

A. ¿Sufrió alguna vez un accidente? ¿Cuál es el que más recuerda? ¿Qué efecto produjo en usted?: Depresión, reflexión, indignación, resignación, rebelión, gratitud por la protección de Dios.

B. ¿Quedan huellas en su vida que revelan que ese momento no fue superado totalmente?

C. Que cada miembro del grupo comente qué hará en la semana para mostrar a otros el amor de Cristo. No olvide que Cristo regresará y llevará consigo a sus "siervos fieles". ¿Es usted uno de ellos?

III. MOMENTOS DE ORACIÓN (diez minutos)

A. Gratitud

B. Intercesión

C. Petición

IV. ESTUDIO BÍBLICO (30 minutos, leer los textos y responder a las preguntas)

A. Job 1:1-2, 13-19. ¿Cuál sería su reacción frente a tan desgraciada y triste noticia? ¿Cree usted que la reacción de Job fue la correcta o tal vez podríamos tildarlo de facilista o insensible? (Job 1:20-22). Comente.

B. "Ni atribuyó a Dios despropósito alguno". ¿Es usted de los que culpan a Dios ante los infortunios de la vida? Job no lo hizo, sencillamente esperó para ver el fin de lo que le acontecía.

C. Romanos 8:28. Dios puede hacer que las cosas negativas que nos ocurren sean revertidas para bien.

D. ¿Recuerda otros casos de accidentes mencionados en la Biblia?
   (1) Eutico cae de una ventana (Hechos 20:7-12).
   (2) Eliseo hace flotar el hacha (2 Reyes 6:1-7).
   (3) Una víbora muerde a Pablo (Hechos 28:1-10).

E. Cuando Pablo fue mordido por la víbora, los habitantes de la isla de Malta lo consideraron un pecador merecedor del castigo de Dios. Cuando no murió, lo consideraron un dios. ¿No será que muchas veces nuestros juicios ante acontecimientos difíciles pasan por estos extremos?

CONCLUSIÓN

1 Corintios 10:13; Job 42:12-17. Permita el Señor que al enfrentar los momentos difíciles de nuestra vida, decidamos aferrarnos más a su voluntad antes que rebelarnos contra él.

V. CIERRE:

A. Toma de decisiones

B. Invitación para la próxima semana

C. Oración de despedida

EL MAYOR DE LOS MILAGROS

I. ALABANZA: CÁNTICOS ESPIRITUALES (diez minutos)

II. CONFRATERNIZACIÓN (diez minutos)

A. Ante un hecho sorprendente, "sobrenatural", que no tenga una rápida explicación, tiende usted a considerar que: es un milagro, es casualidad, se debe buscar una explicación racional, es una coincidencia, Dios intervino, es cosa del diablo, no es nada.

B. ¿Fue usted objeto en alguna ocasión de algún milagro? Coméntelo. ¿Por qué cree que fue un milagro? ¿Cree lo mismo el resto de los miembros del grupo pequeño?

C. ¿Conoce a alguna persona a quien solamente "un milagro" podría acercarla a Jesús? Tal vez descubra usted que puede hacer algo por ella. ¿Se acordará de hacerlo en la semana?

III. MOMENTOS DE ORACIÓN (diez minutos)

A. Gratitud

B. Intercesión

C. Petición

IV. ESTUDIO BÍBLICO (30 minutos, leer los textos y responder a las preguntas)

A. S. Juan 4:46-53. Muchos jóvenes murieron en los tiempos de Jesús. ¿Por qué razón el Señor sanó a este joven? El padre del joven enfermo, ¿pidió un milagro? ¿Hizo usted lo mismo en alguna ocasión? ¿Cuál fue la respuesta? En cuanto al padre del joven sanado, ¿creyó él en Jesús después que su hijo sanó o antes? (vers. 50). Su fe motivó el milagro (S. Mateo 17:20).

B. S. Juan 12:37-40. ¿Es el milagro lo que produce la fe en Jesús o es la fe en él lo que permite ver sus maravillas? (S. Mateo 13:54-58). ¿Cuál fue la razón por que Jesús no hizo muchos milagros? (vers. 58). ¿No tendremos el mismo problema?

C. 2 Tesalonicenses 2:8-12; S. Mateo 7:21-23. ¿Es un milagro una señal indubitable de que ese hecho o persona es de Dios? Mencione ejemplos de la Biblia.

D. 1 Corintios 1:22-24. ¿Es usted de los que piden al Señor milagros para creer más en él? Crea más en él y verá que los milagros sucederán solos (S. Mateo 16:1, 4).

CONCLUSIÓN

El mayor milagro que el Señor realizó en la tierra no fue la resurrección de muertos ni la alimentación de los cinco mil. El milagro de la transformación del corazón humano es el más difícil de realizar. ¿Se produjo ya ese milagro en usted? Los demás vendrán por añadidura (S. Juan 3:1-8; S. Mateo 6:33). Nacer de nuevo es un milagro.

V. CIERRE:

A. Toma de decisiones

B. Invitación para la próxima semana

C. Oración de despedida

DE LOCOS TODOS TENEMOS UN POCO...

I. ALABANZA: CÁNTICOS ESPIRITUALES (diez minutos)

II. CONFRATERNIZACIÓN (diez minutos)

A. Que cada miembro del grupo comente los beneficios que experimenta al asistir cada semana a esta reunión. Son beneficios: Espirituales, sociales, sentimentales, económicos, ninguno.

B. ¿Es usted en la actualidad lo que aspiraba cuando era niño, adolescente o joven? ¿Ha superado sus expectativas o siente que no administró bien su vida? ¿Le afecta esto en su vida espiritual, social o familiar?

C. Jesús dijo: "Más bienaventurado es dar que recibir" (Hechos 20:35). ¿A qué cosas se refiere? ¿Lo practica? Haga la prueba durante la semana.

III. MOMENTOS DE ORACIÓN (diez minutos)

A. Gratitud

B. Intercesión

C. Petición

IV. ESTUDIO BÍBLICO (30 minutos, leer los textos y responder a las preguntas)

A. Eclesiastés 1:17. ¿Cree usted que una persona enloquece porque: El entorno la condiciona/nació loca/quiere estar loca/le conviene estarlo/por estar lejos de Jesús/es culpa del destino/es culpa de los padres/es culpa del esposo/en realidad no hay locos/ todos somos locos.

B. ¿Cuánto de cuerdo o de loco tiene usted? ¿Cómo sabe que no desvaría?

C. 1 Samuel 13:13; 16:14. ¿Qué fue lo que provocó la locura de Saúl? Él no había nacido loco, pero al apartarse conscientemente de la voluntad de Dios, se desencadenó su locura (Deuteronomio 28:28).

D. Eclesiastés 10:1. Si bien es posible que no tenga grandes desvaríos, ¿no ha reaccionado en alguna ocasión como loco? ¿Puede recordarlo? Tal vez lo recuerden mejor los que lo vieron, que usted mismo. ¿Cuál es el origen de estas pequeñas locuras? (2 Pedro 2:14-16).

E. En su opinión, ¿quién es el culpable de la locura?

F. Números 12:11. Muchas veces actuamos locamente. ¿En qué puede usted mejorar? (1 Crónicas 21:8; Proverbios 14:17).

CONCLUSIÓN

Salmo 85:8, 9. Al alejarnos de Dios podemos perder el buen juicio. Si usted quiere gozar de plena salud mental no permita que las pequeñas locuras lo lleven a la perdición eterna.

V. CIERRE:

A. Toma de decisiones

B. Invitación para la próxima semana

C. Oración de despedida

I. ALABANZA: CÁNTICOS ESPIRITUALES (diez minutos)

II. CONFRATERNIZACIÓN (diez minutos)

A. ¿Son para usted las fiestas de fin de año un motivo de tristeza o de alegría? Mencione las fiestas de fin de año en las cuales se sintió más feliz. ¿Cuál fue la razón?

B. Que cada miembro del grupo comente cuál cree que debiera ser la motivación principal al reunirnos con familiares o amigos al llegar el fin del año.

C. Sin duda recuerda usted en este momento a alguna persona que tiene motivos para no estar feliz al llegar estas fiestas tradicionales. ¿No será que en esta semana tan especial puede usted hacer algo para que esa persona sea feliz? ¿No se anima a invitarla a compartir su mesa o sencillamente decirle que usted la aprecia y le desea la mayor bendición de Dios? Hágalo. Usted será el beneficiado.

III. MOMENTOS DE ORACIÓN (diez minutos)

A. Gratitud

B. Intercesión

C. Petición

IV. ESTUDIO BÍBLICO (30 minutos, leer los textos y responder a las preguntas)

A. Salmo 103:1, 2. Que cada miembro del grupo comente cuál ha sido el mayor beneficio o bendición de Dios que recibió durante el presente año.

B. Salmo 103:5. ¿Qué significa para usted la expresión "de modo que te rejuvenezcas como el águila"? ¿Lo experimentó durante el presente año o se siente ahora más viejo?

C. Salmo 71:9. ¿Teme usted envejecer? ¿Por qué? ¿Qué cosas positivas ve usted en llegar a ser anciano?

D. Salmo 71:17-19. ¿Cuál era la razón de vivir del salmista? ¿No cree que la vida adulta (vejez) sería mucho más feliz si nos concentráramos en los motivos de alabanza y gratitud a Dios?

E. Salmo 71:20-24. La razón de la felicidad del salmista estaba en la certeza de que Dios le volvería a dar vida (vers. 20). ¿Tiene usted esa certeza?

CONCLUSIÓN

Job 19:25-27. Al llegar este fin de año, y a pesar de ser cronológicamente un año más viejos, sería un saldo positivo que hayamos crecido en la fe para hacer nuestras hoy las palabras de Job. ¿No cree que es inspirador saber que hoy está más cerca de nosotros nuestra salvación que cuando creímos?

V. CIERRE:

A. Toma de decisiones

B. Invitación para la próxima semana

C. Oración de despedida

ADMINISTRANDO BIEN NUESTRO TIEMPO

I. ALABANZA: CÁNTICOS ESPIRITUALES (diez minutos)

II. CONFRATERNIZACIÓN (diez minutos)

A. De las 24 horas del día, sin duda usted dedica tiempo para trabajar, dormir, comer, orar, estudiar, mirar TV, recrearse, etc. ¿A qué actividad del día quisiera dedicarle más tiempo?

B. En su opinión, ¿cuántos años le quedan por vivir? De acuerdo con su respuesta, ¿qué es lo más importante por realizar en ese tiempo?

C. ¿Conoce a alguna persona que no haya aceptado a Jesús como su Salvador personal, y en su interior usted cree que "le queda poco tiempo" de vida? ¿No le parece que es sumamente desesperante enfrentar la muerte sin haberse entregado a Jesús? Que todo el grupo ore hoy por esas personas y durante la semana visítenlas y háblenles del amor de Jesús. No lo olviden.

III. MOMENTOS DE ORACIÓN (diez minutos)

A. Gratitud

B Intercesión

C. Petición

IV. ESTUDIO BÍBLICO (30 minutos, leer los textos y responder a las preguntas)

A. Salmo 39:4. ¿Sabe usted cuán frágil es?

B. Efesios 5:15, 16. ¿Qué significa para usted aprovechar bien el tiempo? ¿Cumple con este consejo? ¿Cómo? La vida es tiempo, por lo tanto si usted "pierde el tiempo", ¿no cree que está perdiendo parte de la vida? ¿Se podría esto comparar con un suicidio lento?

C. Mencione cómo cree usted que pierde más el tiempo: Durmiendo/mirando TV/en la iglesia/en la escuela/comiendo/leyendo literatura superflua/chismeando/discutiendo/criticando/imaginando cosas/jugando/trabajando/solucionando problemas ajenos/etc. ¿Cuáles podría evitar?

D. 2 Timoteo 4:6-8. Pablo tenía plena conciencia, al igual que los discípulos, del momento que le tocaba vivir. Enfrentaban las dificultades y la muerte misma, no como un imprevisto, sino como parte del plan de Dios.

E. S. Mateo 26:18. Jesús conocía exactamente cómo administrar cada día de su vida.

CONCLUSIÓN

Salmo 90:12. ¿No cree que ésta debería ser nuestra oración? (Colosenses 4:5). Comience a redimir el tiempo hoy mismo (Romanos 13:11; Apocalipsis 22:10).

V. CIERRE:

A. Toma de decisiones

B. Invitación para la próxima semana

C. Oración de despedida

PECADOS DE INMORALIDAD

I. ALABANZA: CÁNTICOS (diez minutos)

II. CONFRATERNIZACIÓN (diez minutos)

A. Al contemplar la condición moral del ser humano en la actualidad, ¿cuáles pecados, vicios o desviaciones son las que más le espantan?: Alcoholismo, drogadicción, pornografía, homosexualidad, lesbianismo, asesinatos, tabaquismo, prostitución, robo, fornicación, adulterio. ¿Por qué?

B. ¿Cree usted que las personas que practican estos pecados pueden llegar a tener el perdón de Dios? ¿Cuál o cuáles de los pecados, desviaciones o vicios mencionados anteriormente cree usted que no tiene el perdón de Dios?

C. ¿Qué haría usted si algún ser querido o familiar suyo (hijo/a, padre, madre) fuera homosexual, lesbiana, drogadicto/a, prostituta? ¿Cómo lo trataría? ¿Por qué?

D. Piensa usted que estas personas deciden ser lo que son o hay una razón hereditaria o psíquica que los afecta?

III. MOMENTOS DE ORACIÓN (diez minutos)

A. Gratitud

B. Intercesión

C. Petición

IV. ESTUDIO BÍBLICO (30 minutos, leer los textos y responder a las preguntas)

A. Génesis 19:1-5. La sodomía (homosexualidad) era común en esos tiempos en la ciudad de Sodoma y Gomorra y en otras (Jueces 19:22; Romanos 1:27). Según el versículo 4, ¿cuántos practicaban estos pecados? Conocer significa relación sexual (ver Génesis 4:1).

B. Levítico 18:22, 26-30. ¿Cuál era el castigo por la práctica de estos pecados? ¿Piensa usted que la ley mosaica era muy extremista al tratar el tema? ¿Por qué? (Levítico 20:13, 26).

C. S. Juan 8:2-11. Al igual que la homosexualidad, la prostitución era penada con la muerte. ¿Por qué cree usted que Jesús perdonó a la mujer pecadora?

D. 1 Corintios 6:9-11. Según San Pablo alguno de los hermanos de Corinto habían practicado estos pecados. ¿Les dio Dios otra oportunidad? "Ya habéis sido lavados, ya habéis sido santificados, ya habéis sido justificados en el nombre del Señor Jesús". La clave: el arrepentimiento.

CONCLUSIÓN

Gálatas 5:24, 25; 6:1. Si usted practica alguno de los pecados estudiados en la lección, hoy tiene la oportunidad de acudir a Jesús para que lo capacite para ser un vencedor. Si conoce usted a alguna persona que vive en pecado, intente llevarla a Jesús. Lo está necesitando (1 Pedro 2:21-25).

V. CIERRE:

A. Toma de decisiones

B. Invitación para la próxima semana

C. Oración de despedida

¿SOMOS INDIFERENTES?

I. ALABANZA: CÁNTICOS ESPIRITUALES (diez minutos)

II. CONFRATERNIZACIÓN (diez minutos)

A. De las actitudes que se mencionan a continuación, y que los demás pueden manifestar hacia usted, ¿cuál es la que más le afecta?: Odio, mutismo, desprecio, indiferencia, agresividad, intolerancia, crítica, frialdad, apatía. Comente con el grupo por qué le molesta tal actitud. ¿La manifestó usted en alguna ocasión hacia alguna persona?

B. ¿Qué es para usted la indiferencia? Según el diccionario una persona indiferente es aquella que: "No presenta motivo de preferencia, por nada se conmueve". Los términos egoísta, apático, insensible, frío, son sinónimos. Mencione en qué ocasiones se puede llegar a ser indiferente.

C. ¿Sabe usted cuál es la misión de su iglesia? Menciónela. ¿Sabe usted cuál es el cometido que Jesús dejó a sus discípulos y, por añadidura, a todos los cristianos? Menciónelo. ¿Es usted indiferente a estos mandatos?

III. MOMENTOS DE ORACIÓN (diez minutos)

A. Gratitud
B. Intercesión
C. Petición

IV. ESTUDIO BÍBLICO (30 minutos, leer los textos y responder a las preguntas)

A. Isaías 63:16. Si sufre el dolor de que alguien lo ignore, o le sea indiferente, tenga en cuenta que Isaías asegura que Dios no nos ignora.

B. Jeremías 6:13-17. ¿Con qué palabra puede usted resumir la actitud de los judíos de los tiempos de Jeremías?

C. Jeremías 7:23-27. ¿Puede usted ver algún tipo de paralelismo entre la actitud del pueblo de Judá en días de Jeremías y la actitud de indiferencia del pueblo de Dios en la actualidad? ¿Es usted indiferente a los mensajes de Dios contenidos en su Palabra?

D. Apocalipsis 3:15, 16. ¿Cree usted que se puede revertir esta actitud de indiferencia hacia las cosas de Dios característica de la iglesia del tiempo del fin? ¿Cómo?¿Lo está practicando?

CONCLUSIÓN

Romanos 11:5; 12:9-12. En este tiempo habrá un remanente fiel que no será indiferente sino fervoroso, será el remanente que terminará la obra (Hebreos 10:23-25). ¿Contribuye usted para que ese remanente sea fervoroso?

V. CIERRE:

A. Toma de decisiones
B. Invitación para la próxima semana
C. Oración de despedida

"EN PAZ... DORMIRÉ"

I. ALABANZA: CÁNTICOS ESPIRITUALES (diez minutos)

II. CONFRATERNIZACIÓN (diez minutos)

A. ¿Cuántas horas diarias duerme usted? ¿Cree que son suficientes o desearía dormir más o menos tiempo?

B. Al levantarse en la mañana. ¿Siente usted que ha descansado o nota que su cuerpo no se ha repuesto lo suficiente como para iniciar las actividades del día?

C. ¿Le cuesta dormir por las noches (insomnio) y no puede detener su mente para descansar?

D. El ministro laico y los miembros del grupo trazarán un plan para traer la próxima semana a los miembros ausentes y a dos nuevas personas, o más, para integrarlas como miembros. Escriban el plan en la parte posterior del informe.

III. MOMENTOS DE ORACIÓN (diez minutos)

A. Gratitud

B. Intercesión

C. Petición

IV. ESTUDIO BÍBLICO (30 minutos, leer los textos y responder a las preguntas)

A. Proverbios 6:9-11. Salomón presenta al dormilón como proclive a morir en la pobreza. El dormir en exceso es un hábito que puede ser modificado. Se ha demostrado que los que duermen menos de 7 horas o más de 9 acortan sus vidas. ¿Es usted de los que: duermen poco, no pueden dormir, duermen demasiado, o duermen lo suficiente?

B. Salmo 77:3, 4. ¿Ha sufrido alguna vez de insomnio? ¿A qué atribuyó usted este desequilibrio? En algunos casos la razón del insomnio radica en sentimientos de culpa por pecados no confesados (Salmo 3 1:9, 10; 32:3, 4).

C. Salmo 102:3-11; 6:6, 7. Mencione alguna de las características de la persona que sufre de sentimientos de culpa, según estos versículos. Si bien pueden haber razones orgánicas para el insomnio, muchas veces éstas se relacionan con problemas no resueltos. Si es éste su caso, hay solución.

D. Salmo 32:5-11. Crea y sienta hoy el perdón de Dios.

CONCLUSIÓN

Salmo 3:5; 4:8. Utilice los momentos de oración para presentar ante Jesús su necesidad, y descanse sabiendo que él le ha concedido el perdón.

V. CIERRE:

A. Toma de decisiones

B. Invitación para la próxima semana

C. Oración de despedida

LA AMISTAD CON EL DIVINO CONSOLADOR

I. ALABANZA: CÁNTICOS ESPIRITUALES (diez minutos)

II. CONFRATERNIZACIÓN (diez minutos)

A. Aparte de Jesús, ¿cuál es la persona en la cual usted más confía? ¿Por qué?

B. ¿Cuál es, en su opinión, la persona que más confía en usted? ¿Se considera usted una persona digna de confianza? Si así fuera, ¿por qué? ¿Piensa usted que los demás creen lo mismo?

C. ¿Cuántas personas llegaron a conocer a Jesús y le entregaron sus vidas a él por medio de su testimonio? Si todavía no ha experimentado ese gozo, ore a Dios para que en la semana coloque en su camino a la persona indicada.

III. MOMENTOS DE ORACIÓN (diez minutos)

A. Gratitud

B. Intercesión

C. Petición

IV. ESTUDIO BÍBLICO (30 minutos, leer los textos y responder a las preguntas)

A. S. Juan 16:7, S. Juan 14:25. ¿Quién es para usted el Espíritu Santo? Jesús aseguró que era preferible que él se fuera para que pudiese venir el Consolador, el Espíritu Santo.

B. Hechos 1:4, 5; 2:1-4. A partir de ese día los discípulos comenzaron a gozar de la amistad con el Espíritu Santo. ¿Disfruta usted de una amistad íntima con el divino Consolador? Comente al grupo cómo se ha desarrollado esa amistad. Si aún no conoce la obra del Espíritu Santo, ¿no cree que necesita en este momento arrodillarse, junto con los demás, para orar por el derramamiento del Espíritu?

C. S. Juan 14:16, 17. "Si todos lo quisieran, todos serían llenados del Espíritu. Donde quiera la necesidad del Espíritu Santo sea un asunto en el cual se piense poco, se ve sequía espiritual, oscuridad espiritual, decadencia y muerte espirituales".[1] "Si comprendemos la obra del Espíritu Santo, él traerá todas las bendiciones hacia nosotros. Él nos hará completos en Cristo".[2] Comentar.

CONCLUSIÓN

S. Lucas 11:13. ¿No le parece que sería bueno que todo el grupo orara diariamente, a la misma hora, por el derramamiento del Espíritu Santo? Comente la semana próxima su vivencia, no lo olvide.

V. CIERRE:

A. Toma de decisiones

B. Invitación para la próxima semana

C. Oración de despedida

---

(1) Elena G. de White, *Hechos de los apóstoles*, p. 41. (2) Elena G. de White, *Ms.* 8, 1898.

PECADITOS OCULTOS

I. ALABANZA: CÁNTICOS ESPIRITUALES (diez minutos)

II. CONFRATERNIZACIÓN (diez minutos)

A. Haga un poco de memoria y mencione cuál fue el día más feliz de su vida. Relátelo y diga el porqué.

B. Al hacer un balance de los años de vida que Dios le ha dado, ¿cree usted que tuvo más momentos alegres o tristes? Después de haber entregado su vida a Jesús, ¿es usted más feliz? Si así no fuera, ¿por qué? "Estad siempre gozosos" (1 Tesalonicenses 5:16). Uno de los frutos del Espíritu es el gozo, la felicidad. Si Jesús está en su corazón, seguramente usted es feliz.

C. La persona que es feliz por haberse encontrado con Jesús transmite esa experiencia. ¿Lo está haciendo usted? ¿Lo hace su grupo? Reúnanse durante la semana para ir a invitar a otros para la próxima reunión. Ustedes serán los más beneficiados.

III. MOMENTOS DE ORACIÓN (diez minutos)

A. Gratitud

B. Intercesión

C. Petición

IV. ESTUDIO BÍBLICO (30 minutos, leer los textos y responder a las preguntas)

A. S. Lucas 8:17; Efesios 5:11-13. Muchas personas viven en constante temor de ser descubiertas por lo que practican en lo oculto. Estas personas se avergonzarían de que sus vidas fueran expuestas a la luz. Sus temores están relacionados con: Adulterio, robo, mentiras, malos pensamientos, masturbación, pornografía, fornicación, cigarrillos, alcohol, baile.

David vivió esa experiencia después que tomó a la esposa de Urías (Betsabé) y mandó que a él lo mataran (2 Samuel 12:1-12). Lea nuevamente el versículo 12. David se arrepintió y Dios lo perdonó. Lea los versículos 13 y 20. ¿Qué reflexión le merece esta historia?

B. Romanos 2:16. Muchos de los actos realizados en oculto son puestos en evidencia en nuestro tiempo. Otros serán revelados cuando venga Jesús. ¿No cree usted que sería éste un buen momento para pedir a Jesús que lo libre de practicar aquellas cosas de las que se avergonzaría en su presencia?

CONCLUSIÓN

1 Corintios 4:4, 5; Isaías 1:16, 18. Jesús quiere hoy limpiar hasta lo más secreto de su corazón tan sólo si usted se lo pide. No deje pasar esta oportunidad. Pídaselo ahora mismo y disfrute una vida llena de paz y felicidad.

V. CIERRE:

A. Toma de decisiones

B. Invitación para la próxima semana

C. Oración de despedida

OPTIMISMO VS PESIMISMO

I. ALABANZA: CÁNTICOS ESPIRITUALES (diez minutos)

II. CONFRATERNIZACIÓN (diez minutos)

A. Sin ser jactancioso, en su opinión, ¿qué es lo que la gente más aprecia de usted?

B. ¿Le gusta a usted "caerle bien" a los demás o, en realidad, "le da lo mismo" si los demás lo aprecian y aceptan o no? ¿Se esfuerza por mostrar sus rasgos de carácter que sabe que no generarán conflictos o se muestra tal cual es?

C. ¿Se reunieron ustedes durante la semana para ir a invitar a otras personas a esta reunión? Relaten la experiencia. Si no se reunieron, ¿por qué no lo hacen en la semana para participar en el crecimiento de su grupo? Hagan el compromiso ahora y fijen el día y la hora en que lo harán.

III. MOMENTOS DE ORACIÓN (diez minutos)

A. Gratitud

B. Intercesión

C. Petición

IV. ESTUDIO BÍBLICO (30 minutos, leer los textos y responder a las preguntas)

A. Proverbios 14:14. Haciendo una mirada retrospectiva, ¿de qué cosas o decisiones se siente usted contento o satisfecho?: Su profesión/su religión/ sus hijos/sus padres/su casa/sus bienes materiales/su esposa/la iglesia/su salud/los amigos/los parientes/su sueldo.

B. ¿Se considera usted pesimista u optimista? El pesimista siempre mira el lado negativo de las cosas. Piensa y transmite a los demás la idea de que los problemas no tienen solución, que los desafíos son imposibles de vencer. ¿Cree usted que un pesimista puede saber lo que es la fe?

C. Proverbios 15:15. ¿A cuál grupo pertenece? ¿Es cada día de la vida para usted un banquete? Esto depende de la forma como miramos cada una de las dificultades que enfrentamos.

D. Filipenses 4:10-12. Note que el estado de ánimo del apóstol Pablo no dependía de lo que él poseía sino de su relación con Jesús. Lea el versículo 13.

E. 1 Timoteo 6:6-8. Pablo se sentía satisfecho con muy pocas cosas. Él consideraba que sentirnos agradecidos por lo que tenemos es "gran ganancia".

CONCLUSIÓN

Hebreos 13:5, 6. Agradezca hoy a Dios por las cosas que le ha concedido. Sea positivo ante aquellas cosas que Dios no le concedió, confiado en que él sabrá el porqué. Sea optimista, practique el optimismo, contagie optimismo.

V. CIERRE:

A. Toma de decisiones

B. Invitación para la próxima semana

C. Oración de despedida

LA ATMÓSFERA DE NUESTRO HOGAR

I. ALABANZA: CÁNTICOS ESPIRITUALES (diez minutos)

II. CONFRATERNIZACIÓN (diez minutos)

A. Sin duda que a lo largo de su vida usted ha vivido en más de una casa. ¿Cuál de las casas en las que vivió le agradó más? ¿Por qué? Por: sus comodidades, el paisaje que la rodeaba, los vecinos, los seres amados con quienes vivía, los recuerdos gratos, la ubicación, no le agradó ningún lugar.

B. En su opinión, ¿qué es lo que determina que un lugar nos agrade más o menos para vivir? ¿Se siente feliz de vivir donde reside actualmente? ¿Por qué?

C. ¿Les habla usted de Jesús a las personas que se acercan a su casa? ¿Qué le parece si todos los miembros del grupo toman hoy la decisión de invitar a una persona de las que se acercan a su casa, para la próxima reunión del grupo? No lo olvide.

III. MOMENTOS DE ORACIÓN (diez minutos)

A. Gratitud

B. Intercesión

C. Petición

IV. ESTUDIO BÍBLICO (30 minutos, leer los textos y responder a las preguntas)

A. Proverbios 24:3-5. Una casa no está compuesta solamente por paredes y techo. Su razón de ser es que en ella viva una familia. Que cada miembro del grupo comente cuál es la atmósfera que se vive en su casa en un día común: alegría, diálogo, palabras afectuosas, música, oración, adoración a Dios, gritos, indiferencia, soledad, lágrimas, malas palabras, tensión, mentiras, nada.

B. S. Marcos 11:15-17. Cristo purificó la casa de Dios porque los hombres la habían transformado en una cueva de ladrones. Sin duda que el templo estaba sucio y desordenado al estar lleno de animales y palomas.

C. Si Jesús visitara hoy su casa, ¿cómo la encontraría?: Limpia, ordenada, sucia, desordenada. No es necesario que la casa sea costosa para que esté limpia y bien arreglada (Eclesiastés 10:18). ¿Ha dedicado tiempo para elegir algunas plantas para embellecer su hogar?

D. Salmo 101:2. La integridad hace que los habitantes de una casa sean felices. ¿Es usted íntegro?

E. Salmo 127:1. Este es el ingrediente indispensable para la plena armonía en el hogar.

CONCLUSIÓN

Proverbios 12:7; 14:1; 17:1; 14:11. Sencillamente piénselo. Invite a Jesús para que supla las deficiencias que tiene su hogar.

V. CIERRE:

A. Toma de decisiones

B. Invitación para la próxima semana

C. Oración de despedida

"EN EL MUNDO TENDRÉIS AFLICCIÓN"

I. ALABANZA: CÁNTICOS ESPIRITUALES (diez minutos)

II. CONFRATERNIZACIÓN (diez minutos)

A. Que cada miembro del grupo comente cuál fue la mayor alegría que experimentó durante la semana.

B. ¿Cuál es, a su parecer, (después de Jesús) la persona que usted siente que más le ama? ¿Por qué? ¿Cree usted que responde a ese amor de la misma manera?

C. ¿Invitó a alguna persona conocida a la reunión de su grupo? Comente cuál fue el resultado. Si no invitó a nadie, ¿por qué no lo intenta en esta semana? Usted será el mayor beneficiado. No lo olvide.

III. MOMENTOS DE ORACIÓN (diez minutos)

A. Gratitud

B. Intercesión

C. Petición

IV. ESTUDIO BÍBLICO (30 minutos, leer los textos y responder a las preguntas)

A. Eclesiastés 2:11, 17. Según el rey Salomón, las tareas y actividades de la vida muchas veces producen aflicción. (Afligir significa: herir, apenar, causar congoja.) ¿Experimentó en alguna ocasión este sentimiento de aflicción? ¿Pudo superarlo? ¿Cómo? Coméntelo.

B. Deuteronomio 8:2, 3, 16. ¿Cree usted que Dios aflige a las personas? Si así fuera, ¿cuál es el propósito? Lean Job 42:10; 1 Pedro 1:6-9. Comenten estos versículos.

C. Salmo 25:6, 7, 16-18. Muchas veces la aflicción es ocasionada por la soledad, el pecado, el remordimiento, etc.

D. Salmo 34:17-19; 40:16, 17. Estas promesas son para usted.

E. Isaías 53:7, 11. Jesús conoce lo que es la aflicción, la experimentó para regalarnos la salvación. En el mundo pasaremos por momentos de aflicción, pero no debemos desanimarnos porque tenemos un Consolador (2 Corintios 1:5; 2 Timoteo 4:5).

F. S. Mateo 4:23, 24. Si usted está afligido no deje pasar esta oportunidad para acudir a Jesús. Él le dará consuelo.

CONCLUSIÓN

S. Juan 16:33. Puede ser que nuestro mundo lleno de pecado, más de una vez nos cause aflicción, pero podemos y debemos confiar en Jesús, quien venció al mundo (Romanos 8:18).

V. CIERRE:

A. Toma de decisiones

B. Invitación para la próxima semana

C. Oración de despedida

PREDESTINADOS PARA SER SALVOS

I. ALABANZA: CÁNTICOS ESPIRITUALES (diez minutos)

II. CONFRATERNIZACIÓN (diez minutos)

A. ¿Disfruta usted de las sorpresas? Si así fuera, ¿cuál es la mejor sorpresa que ha recibido en su vida?

C. ¿Cree usted en el destino? Explique su punto de vista respetando el parecer de otros sobre este tema.

C. Jesucristo dijo que "más bienaventurado es dar que recibir" (Hechos 20:35). ¿De qué forma le es más provechoso a una persona dar que recibir? Si tiene alguna experiencia en la cual gozó al dar algo que necesitaba, coméntela. ¿Cree usted que esto es aplicable en el terreno espiritual? ¿No le parece que sería una buena idea compartir su fe en Jesús?

III. MOMENTOS DE ORACIÓN (diez minutos)

A. Gratitud

B. Intercesión

C. Petición

IV. ESTUDIO BÍBLICO (30 minutos, leer los textos y responder a las preguntas)

A. Romanos 9:13-18; Jeremías 8:13-15. ¿Cree usted que Dios tiene ya destinadas a algunas personas para la salvación y a otras para el fuego eterno? Si así fuera, ¿qué opina al respecto?: Es una injusticia, Dios sabe lo que hace, es innecesario esforzarnos por ser fieles, es justo, nada.

B. S. Mateo 25:31-34, 41. Cuando Cristo venga por segunda vez, ¿se salvarán o se perderán las personas por autodeterminación o por obra del destino?

C. Efesios 1:3-6. Según el apóstol Pablo, si el hombre tiene un destino es el de salvarse. "Habiéndonos predestinado para ser adoptados hijos suyos por medio de Jesucristo". ¿Podemos asegurar entonces que el destino del ser humano es salvarse, pero uno puede cambiar ese destino al rechazar la salvación de Dios? (Efesios 1:9-14). Dios se propuso reunirnos a todos en Cristo, ese fue siempre su deseo para con el hombre, por lo tanto, la salvación es un regalo de Dios para todo ser humano y la destrucción es la elección del hombre que rechaza la salvación.

D. 2 Pedro 3:9. Alégrese. Dios desea que usted se salve. Él preparó todas las cosas para que esto sea algo sencillo (Hechos 16:31-34). Si no lo ha hecho todavía, acepte a Jesús como su Salvador. Entréguese a él por medio del bautismo. De esa manera el Señor podrá cumplir con el plan que tiene para usted: salvarlo.

CONCLUSIÓN

1 Corintios 9:15. Gracias a Dios por Cristo nuestro Salvador.

V. CIERRE:

A. Toma de decisiones

B. Invitación para la próxima semana

C. Oración de despedida

POSEÍDOS ¿POR QUIÉN?

I. ALABANZA: CÁNTICOS ESPIRITUALES (diez minutos)

II. CONFRATERNIZACIÓN (diez minutos)

    A. Que cada miembro del grupo mencione sus recuerdos de cuando tenía doce años de edad: Dónde vivía, dónde estudiaba, sus mejores amigos/as, cómo estaba compuesta su familia, sus vecinos, las costumbres de su época, etc.

    B. Según su parecer, el mal que hay en el mundo es causado por: Los hombres, la casualidad, Satanás, Dios, no existe el mal, el destino, nadie, los demonios, habitantes de otros planetas, etc.

    C. La lección de hoy lo llevará a comprender mejor muchas de las cosas que le suceden. Si se siente beneficiado con este estudio, compártalo.

III. MOMENTOS DE ORACIÓN (diez minutos)

    A. Gratitud

    B. Intercesión

    C. Petición

IV. ESTUDIO BÍBLICO (30 minutos, leer los textos y responder a las preguntas)

    A. Efesios 2:1-3. Al leer estos versículos, ¿qué es lo que más le llama la atención? Coméntelo.

    B. ¿Qué le sugiere la expresión del apóstol Pablo: "Conforme al príncipe de la potestad del aire, el espíritu que ahora opera en los hijos de desobediencia"? ¿No cree que las personas que no se entregan a Cristo están siendo controladas por el enemigo de Dios? Que cada miembro del grupo dé su respuesta.

    C. S. Mateo 12:43-45. A la luz de las palabras de Jesús, ¿es posible que una persona que haya aceptado a Cristo como su Salvador vuelva a ser seducida por el demonio? Según estos versículos hay grados de posesión demoníaca. ¿A qué se debe esto? ¿Puede mencionar algunos ejemplos?: Saúl, Sansón, Judas, María Magdalena, Pedro, Caín, Eva.

    D. "El postrer estado viene a ser peor que el primero". Si su vida está sin Cristo está vacía: Por lo tanto usted se convierte en un blanco fácil para Satanás (Efesios 2:4-8). Cristo quiere hoy llenar ese vacío para que usted pueda vencer a Satanás. Usted puede ser lleno del Espíritu Santo.

CONCLUSIÓN

Efesios 2:12, 13. El Espíritu Santo está tan cerca de usted como su respiración. Dígale hoy: "Lléname".

V. CIERRE:

    A. Toma de decisiones

    B. Invitación para la próxima semana

    C. Oración de despedida

EL NUEVO NACIMIENTO

I. ALABANZA: CÁNTICOS ESPIRITUALES (diez minutos)

II. CONFRATERNIZACIÓN (diez minutos)

A. Que cada miembro del grupo diga la razón que lo motivó para asistir hoy a la reunión: La costumbre, la necesidad espiritual, el deseo de estar con otras personas, el interés de aprender más de Jesús, porque lo trajeron, no sabe.

B. Que cada asistente del grupo comente cuáles son los beneficios que cree que proporciona el bañarse. ¿Piensa usted que bañarse es: Una buena costumbre, necesario para la salud, perjudicial para la salud, necesario según la edad?

C. Seguramente usted desea que otras personas disfruten de la paz que se experimenta al conocer a Jesús. Comente cómo sería su vida si alguien no le hubiese hablado de Cristo. ¿No cree que usted podría ayudar a otras personas al hablarles de los beneficios de entregarse a Jesús?

III. MOMENTOS DE ORACIÓN (diez minutos)

A. Gratitud

B. Intercesión

C. Petición

IV. ESTUDIO BÍBLICO (30 minutos, leer los textos y responder a las preguntas)

A. S. Lucas 3:21-23. En su opinión Jesús fue bautizado por Juan el Bautista en el río Jordán porque: Era la costumbre, necesitaba limpiarse de pecados, para darnos ejemplo, no sabe. Jesús tenía aproximadamente 30 años cuando fue bautizado en el río Jordán. Que cada miembro del grupo relate cuándo y dónde fue bautizado. ¿Qué produjo en su vida el bautismo?

B. S. Marcos 16:15, 16. ¿Cuál es la condición que presenta la Biblia para ser bautizado? (creer en Jesús).

C. Efesios 4:5. Según su parecer, ¿cuántos bautismos verdaderos hay? Si usted no ha sido bautizado como Jesús, ¿está bautizado? (No).

D. Gálatas 3:27; Romanos 6:4. Dios, por medio del bautismo, nos hace dos ofrecimientos maravillosos: Comenzar la vida de nuevo, y hacerlo revestidos de Jesús. ¿No le parece que esto es demasiado bueno como para rechazarlo?

E. S. Lucas 7:28-30. Se dice de los fariseos e intérpretes de la ley que "desecharon los designios de Dios respecto de sí mismos no siendo bautizados". ¿Cree usted que una persona que rechaza bautizarse, pudiendo hacerlo, será salva cuando Jesús regrese por segunda vez? (S. Juan 3:5).

CONCLUSIÓN

Hechos 8:35-39; 18:8; 22:16. Tome hoy su decisión de bautizarse. Dé su nombre al ministro para el próximo bautismo.

V. CIERRE:

A. Toma de decisiones

B. Invitación para la próxima semana

C. Oración de despedida

LA DISCIPLINA DIVINA

I. ALABANZA: CÁNTICOS ESPIRITUALES (diez minutos)

II. CONFRATERNIZACIÓN (diez minutos)

A. ¿Cuáles son las comidas que más le agradan? ¿Le gustan por su sabor, olor, textura y presentación o porque sabe que son nutritivas?

B. Cuando usted era niño ¿qué tipo de castigo era el que más le dolía?: Físico (paliza), penitencia, ver a sus padres disgustados, el silencio e indiferencia de sus padres, los retos, los sermones, que lo mandaran a la cama, que lo dejaran sin comer, etc.

C. El ministro propondrá una actividad misionera para realizar juntos durante la semana. Dialoguen y proyecten la actividad (visitar a miembros que no asisten, invitar a nuevas personas, visitar a enfermos, etc.).

III. MOMENTOS DE ORACIÓN (diez minutos)

A. Gratitud

B. Intercesión

C. Petición

IV. ESTUDIO BÍBLICO (30 minutos, leer los textos y responder a las preguntas)

A. Hebreos 12:5-8; Job 5:17. ¿Qué piensa usted en relación con el castigo? Es un mal necesario, es una crueldad, es una práctica anticuada, es una consecuencia natural de nuestros errores, es una expresión de amor, es una injusticia, no sabe.

B. ¿Recuerda usted alguna ocasión en la que fue castigado por su padre o su madre? Coméntelo. ¿Qué produjo en usted el castigo?: Rebeldía, resentimiento, arrepentimiento, odio, ira, llanto, un trauma, miedo.

C. Proverbios 3:11, 12; Deuteronomio 8:5; Jeremías 2:19. ¿Cree usted que Dios castiga? Muchas veces el castigo de Dios consiste en dejarnos sufrir la consecuencia de nuestro pecado. Esto tiene un propósito. ¿Cuál cree usted que es ese propósito? En la actualidad el "castigo" de Dios tiene el objetivo de lograr el arrepentimiento y la corrección, es un castigo correctivo. Es la forma divina de corregir, afirmar, modelar y perfeccionar nuestro carácter.

D. Génesis 4:13. ¿Acepta usted el castigo correctivo de Dios? (Job 11:6). Recibimos menos de lo que merecemos (Joel 2:13). La disciplina divina no es vengativa.

E. 2 Pedro 2:9. Los que no aceptan la corrección de Dios participarán de un castigo destructivo cuando el Señor regrese en busca de los salvos. Ese castigo tiene el propósito de exterminar a los que persisten en pecar.

CONCLUSIÓN

Apocalipsis 3:19-22. Sea usted de los vencedores. Entréguese al Señor. Acepte su disciplina, él lo está preparando para el cielo.

V. CIERRE:

A. Toma de decisiones

B. Invitación para la próxima semana

C. Oración de despedida

¿JUSTOS O INJUSTOS?

I. ALABANZA: CÁNTICOS ESPIRITUALES (diez minutos)

II. CONFRATERNIZACIÓN (diez minutos)

A. Sin duda, en alguna ocasión usted soñó algo que luego recordó como un buen sueño. Relate, en pocas palabras "su mejor sueño" y por qué lo considera así.

B. ¿Qué es para usted la justicia? ¿Cómo es una persona justa? (Según el diccionario una persona es justa cuando vive conforme a la ley de Dios). En su opinión, mencione a una persona que usted conozca de quien pueda asegurar que "es justa". ¿Es usted justo?

C. El himno N° 367 del *Himnario adventista*, reza de la siguiente manera: "¿Qué estás haciendo por Cristo mientras vida él te da? ¿Sembrando estás su palabra o te hallas durmiendo quizá?" Conteste estas preguntas, con los miembros de su grupo.

III. MOMENTOS DE ORACIÓN (diez minutos)

A. Gratitud

B. Intercesión

C. Petición

IV. ESTUDIO BÍBLICO (30 minutos, leer los textos y responder a las preguntas)

A. S. Lucas 18:1-6. ¿Ha sido víctima alguna vez de una injusticia? Relátelo. ¿Cuál fue su primera reacción?: Enojo, odio, hacer justicia con sus manos, tristeza, desesperación, sintió que Dios lo había abandonado, ganas de morir.

B. 1 Juan 5:17. ¿Ha obrado en alguna ocasión injustamente con: Su esposo/a, sus hijos, su padre, su madre, otros familiares, sus amigos, los conocidos. ¿Qué hizo para remediarlo?

C. Levítico 19:15; Deuteronomio 25:16. Se menciona a la injusticia cómo un pecado que es abominable para Dios. ¿En qué cosas cree usted que nos es común ser injustos? Menciónelo.

D. 2 Pedro 2:9; 1 Corintios 6:9. ¿Cuál será el fin de los injustos? ¿No cree que sería mucho más beneficioso acudir a Jesús para que él haga de nosotros personas justas?

E. Hebreos 8:12. El Señor le ofrece hoy una gran oportunidad para ser justificado. No la deje pasar. Puede ser la última. Pronto llegará el día cuando se cumplirá lo que dice Apocalipsis 22:10-14. ¿En qué grupo se hallará usted?

CONCLUSIÓN

Job 11:13-19. ¡Qué preciosa promesa! Esta puede ser su experiencia a partir de hoy si permite que Cristo lo limpie de toda injusticia y le aplique su perfecta justicia.

V. CIERRE:

A. Toma de decisiones

B. Invitación para la próxima semana

C. Oración de despedida

¿FRÍO, TIBIO O CALIENTE?

I. ALABANZA: CÁNTICOS ESPIRITUALES (diez minutos)

II. CONFRATERNIZACIÓN (diez minutos)

A. ¿Cómo era su casa de la niñez? ¿Recuerda algún invierno pasado allí? ¿Qué sistema de calefacción tenía? Coméntelo.

B. ¿Recuerda haber pasado mucho frío en alguna ocasión? ¿Cómo se sintió? ¿Alguien le ayudó? Comente.

C. Santiago 2:14-16. ¿Sabe usted de alguna persona o familia que esté pasando por dificultades económicas y que puede estar sufriendo frío en este invierno? Haga planes con los miembros del grupo para ayudar en forma práctica y efectiva, durante esta semana, a esa persona o familia.

III. MOMENTOS DE ORACIÓN (diez minutos)

A. Gratitud

B. Intercesión

C. Petición

IV. ESTUDIO BÍBLICO (30 minutos, leer los textos y responder a las preguntas)

A. Génesis 8:22; Salmo 74:17. Al crear el mundo Dios estableció las estaciones y con ello la variación del clima a lo largo del año. ¿Qué reflexión le merece este aspecto de la obra creadora de Dios? ¿Ve a través de él a un Dios sabio y amante, o a uno arbitrario y dominante?

A. En diferentes lugares de la Biblia se hace referencia a aspectos climáticos (2 Corintios 11:27). Aquí se presenta al frío como una de las "tribulaciones" que sufriera el apóstol Pablo. En la cita de Mateo 24:20, Jesús nos insta a orar para que nuestra huída, en las persecuciones, no sea en invierno. ¿Estaría usted dispuesto a sufrir aun las inclemencias del tiempo por ser fiel al Señor y a la verdad?

C. ¿Qué sabemos del clima durante la noche en la que Jesús fue juzgado? (S. Juan 18:18). ¿No será que el mismo frío del ambiente, reinaba también en el corazón de los judíos, que no lograron ver en Jesús al Hijo de Dios?

D. Apocalipsis 3:15, 16. En estos versículos Dios define la condición espiritual de su pueblo "al medir su temperatura". ¿En qué condición se encuentra usted hoy? ¿Se siente frío espiritualmente? ¿Está luchando con la tibieza laodicense? ¿Disfruta el gozo de una vida espiritual vigorosa y ardiente en el Señor?

CONCLUSIÓN

Eclesiastés 4:9-11. El frío de la incredulidad o la indiferencia puede ocasionar nuestra perdición eterna. La tibieza no alcanza el galardón, Dios nos "vomitará de su boca" si no ardemos espiritualmente. Él anhela llenarnos del calor de su amor y darnos el fuego de su Espíritu para que compartamos con otros ese amor y ese calor.

V. CIERRE:

A. Toma de decisiones

B. Invitación para la próxima semana

C. Oración de despedida

PUNTOS DÉBILES

I. ALABANZA: CÁNTICOS ESPIRITUALES (diez minutos)

II. CONFRATERNIZACIÓN (diez minutos)

A. A todos nos agrada trabajar en algo que nos proporcione lo necesario para vivir. Muchas veces esto no es factible y se genera lo que se conoce como desempleo. ¿Ha quedado alguna vez sin trabajo? ¿Cuál fue la razón?: Se terminó el contrato, por causa de su fe, por no saber la tarea a realizar, por ser irresponsable, trabajar a desgano, no sabe. ¿Pudo superarlo? ¿Cómo? Comparta su experiencia.

B. En su opinión, ¿cuál es la diferencia entre una persona débil y una persona fuerte? ¿Se considera usted débil o fuerte? ¿Por qué? Coméntelo

C. Que todos los miembros del grupo preparen una lista de personas que están estudiando la Biblia, por las cuales orarán a diario para que se entreguen al Señor en los próximos meses. ¿No sería provechoso visitarlos?

III. MOMENTOS DE ORACIÓN (diez minutos)

A. Gratitud

B. Intercesión

C. Petición

IV. ESTUDIO BÍBLICO (30 minutos, leer los textos y responder a las preguntas)

A. S. Mateo 26:41. "La carne es débil". Según su opinión, ¿cuáles son sus puntos débiles? Mencione aquellos que no quebranten su intimidad: Carácter, malos pensamientos, malas palabras, la mentira, el sexo, la comida, los vicios, la envidia, el chisme, la ira, el dinero, no sabe, no tiene ninguna debilidad.

B. 1 Corintios 1:25-29. Según estos versículos Dios escogió a las personas débiles para avergonzar a los que se creen fuertes ¿Puede mencionar algunos personajes de la Biblia, escogidos por Dios, que tuvieron debilidades?: Abraham, David, Pedro, Juan, Marcos, Nicodemo, María Magdalena.

C. 2 Corintios 12:9, 10. ¿No cree usted que la debilidad del hombre es la oportunidad de Dios? (2 Corintios 13:4).

D. Romanos 15:1; 14:1. Debemos soportar las debilidades de los demás. ¿Conoce a alguna persona que no pueda vencer alguna debilidad? ¿No cree que sería mejor mostrarle el camino para ser fuerte en lugar de manifestar un espíritu de reprobación (1 Corintios 9:22).

E. Hebreos 4:15. Cristo se compadece de nuestras debilidades y nos indica cómo ser fuertes e invencibles en ellas.

CONCLUSIÓN

2 Corintios 11:30; Romanos 8:26, 27. Podemos gozarnos en nuestras debilidades cuando el Espíritu Santo nos ayuda y nos hace invencibles en Jesús.

V. CIERRE:

A. Toma de decisiones

B. Invitación para la próxima semana

C. Oración de despedida

EL FIN DEL MUNDO

I. ALABANZA: CÁNTICOS ESPIRITUALES (diez minutos)

II. CONFRATERNIZACIÓN (diez minutos)

A. ¿Qué tipo de música es la que más le agrada? Religiosa, folclórica, romántica, moderna, clásica, ninguna. ¿Qué tipo de música cree usted que se asemeja más a la que cantan los ángeles en el cielo? (2 Corintios 5:13, 14).

B. ¿Cree usted que en algún momento llegará el "fin del mundo"? ¿Cuándo y cómo quisiera que el mundo se acabara? Esta verdad produce en usted: Paz, alegría, intranquilidad, tristeza, incredulidad, impaciencia, miedo, nada.

C. ¿De qué hablaría usted con una persona a la que le queda tan sólo una hora de vida? Que cada miembro del grupo comente qué actividad misionera realizó durante la semana.

III. MOMENTOS DE ORACIÓN (diez minutos)

A. Gratitud

B. Intercesión

C. Petición

IV. ESTUDIO BÍBLICO (30 minutos, leer los textos y responder a las preguntas)

A. S. Mateo 24:3. Los discípulos tenían una sana preocupación en cuanto al fin del mundo. Querían saber cuáles serían las señales que marcarían el fin, qué debían hacer para estar preparados y cómo preparar a otros para ese momento. ¿Está usted hoy preparado para encontrarse con Jesús? Según su parecer, ¿qué cosas le faltaría arreglar?

B. S. Mateo 24:13, 14. Aquí se destacan dos expresiones: Perseverar hasta el fin y predicar el Evangelio a todo el mundo. ¿Qué reflexión le merecen estas expresiones? (S. Mateo 10:22). Las señales del tiempo del fin están cumpliéndose, incluso la predicación del Evangelio a todo el mundo. ¿No cree que estamos ante el acontecimiento más grande de todos los tiempos?

C. 1 Pedro 4:7. ¿Cuál es el consejo del apóstol Pedro al saber que el fin llegará pronto? ¿Cómo lo practica? Coméntelo.

D. Ezequiel 7:1-7,19. El profeta Ezequiel describe ese día como un día de juicio. Seremos juzgados según nuestros "caminos". Muchas cosas que hoy parecen poseer gran valor, ese día lo perderán. Mencione cosas que hoy le preocupan que ante la venida de Jesús perderían su importancia.

CONCLUSIÓN

1 Corintios 1:4-9; 2 Pedro 3:9-14; Apocalipsis 2:26. El fin de este mundo llegará. Jesús vendrá. ¿Estará usted entre los salvos? Dios quiere que su respuesta sea: "Sí".

V. CIERRE:

A. Toma de decisiones

B. Invitación para la próxima semana

C. Oración de despedida

NIÑOS FIELES

I. ALABANZA: CÁNTICOS ESPIRITUALES (diez minutos)

II. CONFRATERNIZACIÓN (diez minutos)

A. ¿Cómo fue su niñez? Si existiera la posibilidad, ¿desearía volver a ser un niño? ¿Por qué sí o por qué no?

B. ¿Conoce usted a algún niño/a que necesita su ayuda material o espiritual? Si es así, ¿porqué no lo invita a comer a su casa e intenta hacer algo por él y por su familia durante esta semana? Que cada miembro del grupo invite a algún niño no adventista a compartir los festejos del día del niño que prepare su iglesia. Aprovechen la oportunidad para hablarle de Jesús.

III. MOMENTOS DE ORACIÓN (diez minutos)

A. Gratitud

B. Intercesión

C. Petición

IV. ESTUDIO BÍBLICO (30 minutos, leer los textos y responder a las preguntas)

A. 2 Reyes 22:1, 2. ¿No le parece sorprendente que un niño tan pequeño ascendiera al trono de Judá? El capítulo 23 describe importantes reformas que hizo Josías durante su reinado. ¿A qué atribuye usted su éxito y eficiencia?

B. 1 Samuel 1:27. Samuel nació como la contestación de Dios a las fervientes oraciones de su madre, y sin duda fue del todo especial (1 Samuel 3:10). ¿Por qué cree usted que Dios lo llamó a tan temprana edad?

C. Génesis 21:1-3. Isaac también nació en circunstancias especiales, y tuvo que soportar una prueba muy dura en su niñez (Génesis 22:9-12). ¿No cree usted que Isaac podría haberse escapado o resistir a su padre anciano? ¿Por qué cree que estuvo dispuesto a morir?

D. ¿Cree usted que los niños tienen discernimiento espiritual, que pueden llegar a conocer y a entregarse a Dios aun a corta edad? Reflexione sobre la siguiente cita: "Aun el lactante en brazos de su madre puede morar bajo la sombra del Todopoderoso... Si queremos vivir en comunión con Dios nosotros también podemos esperar que el Espíritu divino amoldará a nuestros pequeñuelos desde los primeros momentos".*

CONCLUSIÓN

S. Marcos 10:14; S. Mateo 21:16. Jesús brindó una consideración especial a los niños, y reivindicó su lugar en la familia de Dios. ¿No cree usted que es hora de que demos más importancia a los niños de nuestra familia, vecindario e iglesia?

V. CIERRE:

A. Toma de decisiones

B. Invitación para la próxima semana

C. Oración de despedida

---

*Elena G. de White, *Hechos de los apóstoles*, pp. 249, 250.

"OJOS QUE NO VEN..."

I. ALABANZA: CÁNTICOS ESPIRITUALES (diez minutos)

II. CONFRATERNIZACIÓN (diez minutos)

A. ¿Escuchó alguna vez la frase, "ojos que no ven corazón que no siente"? Si así fuera, ¿cuál es para usted el significado de esta expresión?

B. ¿Qué cosas que ha visto son las que más le han hecho doler el corazón? ¿Pudo superarlo? ¿Cómo? ¿Cree usted que algún acto suyo pudo hacer sufrir a otra persona?

C. ¿No cree usted que muchas cosas podrían ser distintas si nos dedicáramos a "ver" las necesidades de los demás y "sentir" deseos de ayudar? Con los miembros de su grupo preparen una tarjeta de saludo para los miembros que no están asistiendo. Que la firmen todos y se la lleven.

III. MOMENTOS DE ORACIÓN (diez minutos)

A. Gratitud

B. Intercesión

C. Petición

IV. ESTUDIO BÍBLICO (30 minutos, leer los textos y responder a las preguntas)

A. S. Juan 20:24, 25. ¿Cree usted que la actitud de Tomás fue: Natural, madura, loable, equivocada, ridícula, infantil, provocada por la incredulidad? Amplíe su respuesta.

B. S. Juan 20: 26-29. Explique cuál es el fundamento en el que usted sustenta su fe en Jesús. Tomás no podía sentir el gozo de saber que Cristo había resucitado puesto que no lo había visto. ¿Siente usted el gozo profundo de saber que Cristo vive y vendrá pronto a buscarlo, o tal vez, "ojos que no ven, corazón que no siente"?

C. Hebreos 11:1-3, 6. Sin duda usted afirmará que ama a Jesús aunque nunca lo haya visto, pero ¿siente siempre deseos de servirle?

D. Santiago 2:17-19. Nuestra creencia en Jesús se manifestará en hechos reales de amor y servicio hacia los demás.

E. 1 Corintios 13:12. "Ahora vemos por espejo". Qué significa esta frase?

F. 1 Pedro 1:3-9. ¿Es su creencia en Jesús verdadera, o tal vez por no haberlo visto no siente mucho amor por él?

CONCLUSIÓN

Romanos 8:25. Que esta característica se manifieste hoy en usted: Crea en Jesús, ame a Jesús, sirva a Jesús.

V. CIERRE:

A. Toma de decisiones

B. Invitación para la próxima semana

C. Oración de despedida

LA PAZ

I. ALABANZA: CÁNTICOS ESPIRITUALES (diez minutos)

II. CONFRATERNIZACIÓN (diez minutos)

A. ¿Cuál es la flor que más le agrada? ¿Por qué? ¿Cuál fue la última ocasión en que le regalaron o regaló una flor? ¿Qué sentimientos experimentó usted en ese momento?: Amor, ternura, simpatía, temor, vergüenza, indiferencia, nada.

B. Si usted ofendiera a alguna persona ¿cuál sería la forma por la cual intentaría pedir perdón? ¿Lo practica? ¿Cree usted que una persona que guarda rencores en su corazón, o manifiesta un espíritu no perdonador, puede sentir paz?

C. ¿Han preparado y firmado como grupo las tarjetas para llevar a las personas que no asisten? Comenten cuál fue el resultado. Si no lo hicieron, háganlo en esta semana. Preparen una tarjeta para los ausentes y llévensela. Ellos se lo agradecerán.

III. MOMENTOS DE ORACIÓN (diez minutos)

A. Gratitud

B. Intercesión

C. Petición

IV. ESTUDIO BÍBLICO (30 minutos, leer los textos y responder a las preguntas)

A. Efesios 17:1. ¿Opina usted igual que Salomón? "Es mejor un bocado seco y en paz que..." ¿Cómo cree usted que se "consigue" la paz? Acumulando mucho dinero, durmiendo todo el día, estando callado, no metiéndose en los asuntos ajenos, buscándola en Dios, orando, en la iglesia.

B. Romanos 5:1. La paz es un regalo de Dios que se recibe cuando se acepta a Jesús como Salvador. Jesús es nuestra paz, la compró con su sangre (Efesios 2:14; Colosenses 1:20).

C. Job 22:21. Los manicomios están llenos de personas que no han experimentado el gozo de la paz. En su opinión, ¿cómo pierde una persona la paz con Dios? Cuando: No ora, tiene pecados sin confesar, guarda rencor, no asiste a la iglesia, se aleja de Jesús. ¿Ha pasado por esta experiencia? ¿Pudo superarlo?

D. Romanos 3:17. Estas pocas palabras describen la realidad de millones de personas. ¿Con qué intentan muchas personas mitigar su falta de paz?: Música, drogas, alcohol, sexo, fiestas, ruido, pastillas para dormir.

E. Romanos 12:18. ¿Está usted en paz con todas las personas? (Gálatas 5:22; Efesios 4:3). El que tiene al Espíritu tiene paz.

CONCLUSIÓN

Hebreos 12:14. Vivir en paz con Dios, con nosotros mismos y con los demás es una condición para ser salvo. ¿Satisface usted esta condición hoy?

V. CIERRE:

A. Toma de decisiones

B. Invitación para la próxima semana

C. Oración de despedida

DULZURA O AMARGURA

I. ALABANZA: CÁNTICOS ESPIRITUALES (diez minutos)

II. CONFRATERNIZACIÓN (diez minutos)

A. ¿Hasta qué edad quisiera usted vivir? 60, 70, 80, 90, 100 ó más años. Comente cómo se cuida para lograr esa expectativa de vida. Muchas personas que hoy se debaten entre la vida y la muerte llegaron a esta condición por no haberse cuidado cuando estaban sanos y tenían la oportunidad de elegir. ¿Qué podría mejorar en su estilo de vida para tener buena salud ahora y en el futuro?

B. Si usted es casado/a, tiene novio/a o un íntimo amigo/a, ¿cuál es la característica o virtud que más le agrada de él/ella?

C. ¿Están presentes todos los miembros del hogar-iglesia? Determinen ahora cómo y cuándo visitarán a los ausentes. ¿Cuántas personas conocieron a Jesús por medio de la actividad de este hogar-iglesia? Comenten lo hermoso que sería que en este año por lo menos una persona más conozca y se entregue a Jesús.

III. MOMENTOS DE ORACIÓN (diez minutos)

A. Gratitud

B. Intercesión

C. Petición

VI. ESTUDIO BÍBLICO (30 minutos, leer los textos y responder a las preguntas)

A. 1 Tesalonicenses 2:7, 8. Pocas escenas representan mejor un cuadro de ternura y dulzura como el de una madre que sostiene en brazos a su hijito de pocos días. ¿Cómo es para usted una persona tierna y dulce? ¿Tiene usted estas características? Si así no fuera, ¿cuál es la razón?

B. Génesis 26:34, 35. Las decisiones de Esaú fueron motivo de amargura para sus padres. ¿No cree que en algunas ocasiones sus decisiones y actitudes pueden amargar o entristecer a las personas que le rodean y a su Padre celestial? Mediten en esta escritura (Proverbios 17:25).

C. Salmo 64:3. ¿Podría usted mejorar algo al respecto? ¿Lanza "por casualidad" palabras amargas? (Romanos 3:14). Consecuencia (Salmo 73:21). ¿Por qué no practicar más la dulzura?

D. Hebreos 4:15. La amargura no sólo afecta al que la abriga en su corazón sino que contamina a los que lo rodean. Lo mismo ocurre con la dulzura y la ternura. Escoja hoy qué clase de fuente será (Santiago 3:10, 11).

CONCLUSIÓN

1 Corintios 10:1. La dulzura y la ternura eran características de Jesús. Imitémoslo (Efesios 4:30-32). Practiquémoslo.

V. CIERRE:

A. Toma de decisiones

B. Invitación para la próxima semana

C. Oración de despedida

FE Y OBRAS

I. ALABANZA: CÁNTICOS ESPIRITUALES (diez minutos)

II. CONFRATERNIZACIÓN (diez minutos)

A. Que cada uno comente alguna bendición que recibió de Dios durante la semana.

B. Que cada miembro del hogar-iglesia explique en pocas palabras qué significa para él haber aceptado a Jesús como su Salvador.

C. Que cada miembro del hogar-iglesia comente acerca de cuántos estudios bíblicos está dando y qué significa para él compartir a Jesús con otras personas. Si alguno no estuviera dando estudios bíblicos debiera acompañar al que lo está haciendo para aprender a realizar esta hermosa tarea.

III. MOMENTOS DE ORACIÓN (10 minutos)

A. Gratitud

B. Intercesión

C. Petición

VI. ESTUDIO BÍBLICO (30 minutos, leer los textos y responder a las preguntas)

A. Romanos 3:28. ¿Qué es para usted la justificación? Es el acto soberano de Dios por el cual, por pura gracia y en base a su pacto, declara aceptos ante él a quienes creen en su Hijo.

B. ¿Es usted justificado por: Fe, gracia, obras, fe +gracia, fe + obras, gracia +obras, fe + gracia + obras, fe que obra?

C. Romanos 5:1. Pablo afirma que somos justificados por medio de la fe que depositamos en nuestro Señor Jesús al aceptarlo como Salvador.

D. Filipenses 2:13. ¿Quién produce en nosotros ese deseo de aceptar a Jesús? Dios. ¿Cuál es entonces la parte del hombre? No resistir al llamado de Dios (Hechos 7:51). ¿Se resiste usted a entregar totalmente su vida a Jesús? Dios lo ha provisto todo para nuestra salvación. Insiste en que aceptemos el regalo que él nos hace en Cristo Jesús. Por su bien, no resista más al Espíritu Santo. Entréguese plenamente a Jesús ahora.

E. Santiago 2:17-26. ¿Cuál es el papel de las obras? Sencillamente las obras son el resultado de nuestra entrega a Cristo quien nos lleva a hacer las obras que él hizo (Gálatas 5:6).

F. Fe que obra. ¿Será que Dios nos ama más por nuestras buenas obras? ¡No! Él nos ama siempre. No importa lo que hagamos, él nos sigue amando. Pero es sólo al seguir las pisadas de Jesús y hacer las obras que él hacía, como podremos llegar al cielo (Romanos 2:13).

CONCLUSIÓN

Filipenses 2:5-8. Tengamos el mismo sentir de Jesús.

V. CIERRE:

A. Toma de decisiones

B. Invitación para la próxima semana

C. Oración de despedida